LIVELY LATIN

LIVELY LATIN

Stories for the First and Second Years

JOHN K. COLBY

Longman

New York & London

3 4 5 6 7 8 9 10-AL-959493

CONTENTS

PREFACE

Lively Latin is a reader intended for the first and the early part of the second year. The selections included in the book have been chosen with the primary object of providing young students with reading material which will arouse and hold their interest and at the same time help to build up their vocabulary and grammar in context without boring them. Towards attaining these ends Lively Latin has in many schools proved a valuable incentive. When a student enjoys reading the assigned Latin, he is eager to read more, and the more Latin he reads, the sooner he begins to take pride in his growing ability to read and understand the language. What more powerful incentive can be found than this?

Lively Latin stimulates student interest for the following reasons:

1. The selections vary widely in genre and subject matter. Many of them deal with material favored by youthful readers: tales of *adventure and mystery, humorous anecdotes, romance,* and a few chilling accounts involving the *macabre.*

2. *A humorous touch* has been added to certain of the mythological and semi-historical passages even when the original version of the story contained no humor. (Cf. the last few lines of A Shady Deal)

3. Occasional use is made of classics-based equivalents for such modern terms as *submarine, microphone, atomic,* and *airplane.* Use of expressions like *navis submarina, microphonium, atomicus,* and *aeroplana* can do much to add zest to the reading material and show students that Latin can be used as a living language today.

The major portion of the selections is composed of either adaptations of classical and medieval tales or of episodes from Roman history and Greek mythology, retold in a form well fitted to the abilities of young classicists. Classical authors represented in the adapted passages include *Cicero, Frontinus, Livy, Nepos, Petronius* and *Virgil.*

The stories are carefully graded in respect to vocabulary, grammar, and style. The first and easiest selections can be used after the first few lessons of a beginner's book; the last stories are of the difficulty of simple Caesar. Uses of the subjunctive are introduced gradually, beginning at about the middle of the book. Classes which have completed the entire book with special emphasis on its latter half, have in most cases found the transition into classical Latin authors both natural and easy.

The notes are intended to explain troublesome parts of the stories as well as to elucidate many syntactical principles met in the text.

Vocabulary content is low and limited as far as possible to the words commonly found in most first year texts.

J. K. C.

Andover, Massachusetts
1971

LIVELY
LATIN

I. A STRANGE HORSE

1. Vīta agricolārum est bona. Agricolae in agrīs semper
labōrant. Magnam pecūniam nōn habent, sed laetī sunt.

Meus amīcus est agricola validus. In Britanniae oppidō
habitat. Fīlium parvum et fīliam parvam habet. In agrōs
cottīdiē properat et in agrīs labōrat. Agricola equum 5
validum habet. Equus frūmentum ex lātīs agrīs in aedificia
portat. Equum agricola amat. Sed hodiē equum nōn iaudat.

"Equus meus," exclāmat, "est malus."

"Cūr equum tuum culpās?" exclāmāmus.

"In silvā est," respondet agricola. "Frūmentum nōn 10
portat. Aquam equō dō, sed nunc aqua meum equum nōn
dēlectat."

Fīlia agricolae, "Servus tuus," exclāmat, "vīnum tuō
equō dat! Nunc vīnum, nōn aqua, equum dēlectat. Lūnam
et stellās equus spectat et vītam amat." 15

Agricola servum vocat. "Cūr equum meum vīnō incitās,
male serve? Esne īnsānus? Praemia mala malīs servīs
dō."

*   *   *   *   *   *   *   *   *   *   *

Nunc equus in silvā nōn est. Agricola aquam, nōn
vīnum, equō dat. Frūmentum equus portat. Dominum 20
amat. Bonus equus est.

"Sed ubi est servus malus?" exclāmāmus.

"Servus," respondet agricola, "in īnsulā Eurōpae habitat
ubi nōn sunt equī."

II. NEWS ITEMS OF 135 B.C.

2. Slave Revolt in Sicily

Perīcula bellī incolās Siciliae terrent. Multī servī,
quod miserī erant inopiā bonī cibī et malitiā dominōrum,
ex agrīs properāvērunt. Iam nōn labōrant. Bellum parant.
Magnam cōpiam tēlōrum comparāvērunt et in locō castrīs
5 idōneō collocāvērunt. Servī amīcōs convocant, incitant,
armant. Servōrum dominī, virī malī, sunt in magnō
perīculō. Multōs dominōs servī gladiīs et sagittīs
necāvērunt.

3. Slave Owner's Daughter Spared

Servī multa Siciliae oppida oppugnāvērunt. Hodiĕ
oppidum Ennam expugnāvērunt. In oppidō Ennā Damophilus,
dominus ferus, habitābat. Damophilus parvam fīliam
habēbat. Damophilī fīlia, puella pulchra, grāta erat servīs
5 quod multa dōna līberīs servōrum saepe dederat. Servī in
oppidum Ennam properāvērunt. Damophilum vocābant.
"Ubi est tua fīlia, Damophile?" clāmābant. "Fīliam tuam
ex perīculō servābimus, sed tē, male domine, necābimus."
Parvam puellam ad amīcōs in oppidum Catanam servī
10 portāvērunt. Sed Damophilum necāvērunt.

4. Will Slave Revolt Spread to Italy?

Miserī sunt incolae in prōvinciā Siciliā. Nūntiī perīcula
Siculōrum incolīs Ītaliae nārrāvērunt. Sunt multī servī in
Ītaliā. Perīcula Siculōrum incolās Ītaliae ad arma incit-
āvērunt. "Nostrīne servī," clāmant, "bellum parābunt in
5 Ītaliā? Oppugnābuntne oppida nostra? Eruntne nostrī
dominī in perīculō? Nōnne magnās cōpiās ad proelium con-
vocābimus? Rōmānōs perītōs pigrī servī nōn superābunt."

III. TWO LITTLE THUGS

5. (Mārcus et Samius, puerī malī, magnam cōpiam pecūniae
in silvam portāvērunt.)

MĀRCUS.   Ubi sumus, Samī? Vidēsne idōneum locum?

SAMIUS.   Collocābō pecūniam in fossā. Tū, Mārce, complē
fossam terrā!   5
          (Mārcus labōrat. Samius silvam spectat.)
          Laetī erimus, Mārce, nostrā praedā! Ad
          multās terrās nāvigābimus. Multa et nova loca
          vidēbimus.

MĀRCUS.   Inopiā pecūniae et cibī nōn erimus miserī.   10

SAMIUS.   Mox vīta nostra erit bona et grāta. Sed properā,
          Mārce. Puer validus es, sed piger!

MĀRCUS.   Tū piger es, Samī. Nōn labōrās!

SAMIUS.   Rēgīnam hodiē necāvī!

MĀRCUS.   Cūr, bone Samī, rēgīnam necāvistī?   15

SAMIUS.   Rēgīna magnam cōpiam pecūniae comparāverat
          et servāverat. Fēminam monuī. "Dā," inquam,
          "tuam pecūniam mihi." Sed rēgīna, "Nōn dabō,
          male serve," respondit. Rēgīnam magnō saxō
          necāvī quod mē servum malum vocāverat. Ubi   20
          fēminam necāvī, pecūniam in tuum vīcum portāvī.
          (Puerī in lātā fossā pecūniam collocāvērunt.
          Silva quiēta est. Puerī stellās et lūnam
          spectant.)

MĀRCUS.   Est magnum perīculum, mī Samī! Paucī incolae 25
          rēgīnam vīdērunt, sed multōs agricolās et
          nautās mox convocābunt. Agricolae et nautae
          cum incolīs in silvam properābunt. Nōnne vidēs
          perīculum?

SAMIUS.   In perīculō nōn sumus, Mārce! Rēgīnae virī   30
          puerōs validōs nōn terrent, nōn terrēbant, nōn
          terrēbunt, nōn terruērunt, nōn ----------

MĀRCUS.   Tacē, Samī!

SAMIUS.   Quis cantat?

35 RĒGĪNA (ex silvā).　Diānam nunc vidēte,
　　　　　　　　　　In lūnā habitat.
　　　　　　　　　　Sed fēminam cavēte,
　　　　　　　　　　Sagittīs dīmicat.

(Samius rēgīnam hodiē nōn necāverat. Rēgīna tūta erat
40　et cum fīdō servō in silvam properāvit. Nunc Mārcum
et Samium canticō terret. Puerī lūnam spectant. Interim perītus servus rēgīnae pecūniam ex fossā
remōvit et ad rēgīnam reportāvit.)

MĀRCUS.　Rēgīna cantat.

45 SAMIUS.　Nōnne rēgīnam necāvī hodiē?　Rēgīnae mortuae
nōn cantant.

MĀRCUS.　Quis est, Samī?

SAMIUS.　Diāna, crēdō, dea lūnae, cantat.

MĀRCUS.　Cūr cantat Diāna, Samī?　Estne īnsāna?

50 SAMIUS.　Diāna semper cantat, stupide, quod dea mūsicae
est et cantica amat.

RĒGĪNA(magnā vōce).　Sed rēgīna puerōs malōs nōn amat!
　　　　　　　　Cavēte, puerī!
　　　　　　　　(Sagitta longa Mārcum paene vulnerat.)

55 MĀRCUS.　Au!　Necābisne mē, Ō dea superba?
　　　　　　(Alia sagitta fossam penetrat.)

SAMIUS.　Pecūniam nostram movēbō.　Nōn est in idōneō
locō.

MĀRCUS.　Nōs in idōneō locō nōn sumus!
60　　　　　(Subitō puerī fossam spectant.　Praedam iam
　　　　　　nōn vident.)

SAMIUS.　Ubi est pecūnia nostra, Mārce?
　　　　　(Multae sagittae silvam complent et puerōs
　　　　　　miserōs terrent.)

MĀRCUS.   Pecūnia nōn mē dēlectat. Ad Africam nāvigō! 65
(Exit Mārcus.)

SAMIUS.   Et ego ad Austrāliam ------- (Exit Samius.)

RĒGĪNA(ex silvā). Ha! Ha! He! Diāna nōn sum, sed malōs
puerōs canticō meō terruī.

SERVUS.   Ego, mēhercule, nōn sum dea, sed tuam   70
pecūniam reportāvī et sagittīs meīs puerōs in
fugam dedī. Nōnne praemium dabis miserō
servō, bona rēgīna?

RĒGĪNA.   Ō fīde serve, nunc vir līber eris!

IV. ATTACK LED BY ELEPHANTS

6. Words of Encouragement

Quod hostēs nostra castra magnīs cōpiīs expugnāre
parāverant, dux noster ita mīlitēs incitābat. "Hostēs,"
inquit, "magnā virtūte hodiē pugnābunt. Prīmā lūce nostra
castra oppugnābunt. Multa et bona tēla comparāvērunt.
5 Sed novum genus armōrum habent; hostium rēx paucōs
elephantōs ex Africā ad Italiam nāvibus portāvit. Elephantōs nōn vīdistis, mīlitēs. Magna animālia sunt. Equōs
semper terrent, equitēs in fugam dant. Sed mīlitēs Rōmānōs nōn superābunt. Pugnāte cum virtūte, virī!
10 Elephantōs tēlīs complēte. Rēgem necāte. Nunc properāte
ex castrīs."

7. Enemy Attack Backfires

Ōrātiō ducis virtūtem nostram auxit. Prō castrīs erat
flūmen. In flūmine erat pōns parvus. Aestāte aqua flūminis
nōn est alta. In flūminis rīpā hostēs exspectābāmus. Subitō
elephantōs vīdimus. Dē colle altō ad nostra castra proper-
5 ābant. Rēctōrēs elephantōrum magnīs clāmōribus animālia
ad flūmen incitābant. Magna corpora animālium et capita
alta partem nostrōrum mīlitum terrēbant. Sed flūmina et
pontēs elephantī semper timent. Itaque ubi flūmen vīdērunt,
subitō terga vertērunt et magnā cum celeritāte in rēgis
10 cōpiās properāvērunt. Rēctōrēs clāmābant. Rēx timōre
īnsānus erat. Elephantī multōs hostium equitēs necāvērunt
et mīlitēs miserōs pedibus vulnerāvērunt. Magna erat
caedēs. Nostrī virī ubi rēgem hostium et mīlitēs in fugam
dedērunt, ad nostra castra properāvērunt. Multā nocte
15 nūntius nostram victōriam magnā dīligentiā Rōmānīs nārrāvit. Cīvēs Rōmānī erant laetī quod elephantī rēgis cōpiās
nostrās nōn superāverant.

V. THEFT OF THE GOLDEN STATUES

8. No Pay for Soldiers

Pyrrhus, Graecōrum rēx, ubi ex Graeciā ad Ītaliam
cum magnīs cōpiīs nāvigāvit, multās urbēs expugnāvit.
Posteā in īnsulā Siciliā diū cum incolīs dīmicābat. Sed
multī mīlitēs rēgis ab hostibus vulnerātī erant; multī
necātī erant. Itaque Pyrrhus cōpiās mīlitibus mercēnāriīs   5
auxerat. Mīlitēs mercēnāriī prō pecūniā, nōn ob amōrem
patriae semper pugnābant. Sed propter multa proelia et
longa itinera Pyrrhus pecūniam nōn habēbat. Itaque
stīpendium mīlitibus nōn dederat. Mīlitēs inopiā pecūniae
miserī, nōn pugnābant.   10

9. Statue Snatching

In urbe Siciliae erat magnum templum deae Proserpinae.
Incolae templum multīs statuīs aureīs complēverant quod
deam amābant. Sociī Pyrrhī ubi statuās vīdērunt, "Occupā
templum, bone rēx," clāmābant. "Statuās, praedam nostram,
ad Ītaliam portā. Vende statuās et magnam pecūniam   5
habēbis. Inde partem pecūniae ad Siciliam reportā et ex
pecūniā dā stīpendium mīlitibus tuīs. Ita laetī erunt et cum
studiō pugnābunt."

10. Shipwreck

Itaque Pyrrhus statuās aureās ex templō Proserpinae
multā nocte remōvit et in quattuor nāvibus collocāvit. Sed
nāvēs ubi ex īnsulā Siciliā hieme nāvigāvērunt, tempestāte
magnā dēlētae sunt. Nautae Pyrrhī necātī sunt. Multa
corpora validōrum nautārum in marī erant. Sed statuās   5
aqua maris ad lītus Siciliae reportāvit.

11. The Goddess' Revenge

Prīmā lūce rēx Pyrrhus statuās splendidās in lītore vīdit.
"Vir miser sum," exclāmāvit, "quod pulchrās statuās ex
templō deae Prosperinae remōvī. Mare meōs nautās ad
loca īnferna portāvit propter īram deae; sed dea statuās
splendidās servāvit. Vir miser sum." Inde statuās ad   5
templum deae reportāvit. Posteā tamen laetus nōn erat
quod īram deae semper timēbat.

VI. BIG FEET

12. Wounded Ten Times in One Battle

Urbs nostra ab hostibus diū oppugnābātur. Ob multitūdinem hostium perīculum erat magnum. Hostēs tamen
urbem nōn expugnāverant quae in colle altō collocāta erat.
In nostrā legiōne vir rīdiculus erat, Quīntus Pedius
5 nōmine. Omnēs mīlitēs Pedium dērīdēbant quod magnōs
pedēs habēbat, nōn dissimilēs magnitūdine pedibus elephantōrum. Propter magnitūdinem pedum ā mīlitibus nōn
Pedius sed Pedīculus appellābātur. Prīmō annō bellī
Quīntus Pedius ab hostibus ācrī proeliō vulnerātus erat;
10 decem pīla pedēs trānsfīxerant. Diū vulneribus labōrābat.
Medicī perītī ubi convocātī sunt, tēla ex pedibus magnā cum
cūrā extrāxērunt. Ūnus ex medicīs, "Pedēs tuī," inquit,
"sordidī sunt. Flūmen pedēs pūrgābit."

13. The Enemy Flushed Out

Iter longum et angustum erat dē urbe ad flūmen.
Quīntus ab fīdīs amīcīs multā nocte ad flūmen portātus est.
Trāns flūmen erant castra hostium, sed Quīntus et amīcī
nōn sunt vīsī quod nox erat obscūra. Quīntus pedēs in
5 aquā flūminis collocāvit. Brevī tempore aquam rīpae
flūminis nōn continēbant. Mox omnēs partēs castrōrum
hostium aquā complētae sunt. Hostēs quod altitūdine aquae
territī erant, magnā celeritāte castra mōvērunt neque
posteā in nostrīs fīnibus vīsī sunt. Quīntus ubi ex aquā ab
10 amīcīs remōtus est, vulneribus iam nōn labōrābat. Nunc
pedēs validōs et albōs habēbat. Omnēs cīvēs nostrae urbis
erant laetī quod hostēs in fugam datī erant. Hodiē mīlitēs
in itinere magnā vōce cantant:

Flūmen Quīntum cōnfīrmāvit, flūmen hostēs superat;·
15 Flūmen servat, pedēs pūrgat, urbem nostram līberat.

VII. THE BRAVE GLADIATOR

14. In the Arena

Hodiĕ mūnus gladiātōrium in arēnā ab Imperātōre datum
est. Fortis Imperātor ubi multās terrās Eurōpae bellō
vāstāvit gentēsque magnās vīcit, multitūdinem captīvōrum
ad urbem mīserāt. Partem captīvōrum, quod omnēs cīvēs
Rōmānōs magnā caede dēlectāre cupiēbat, in arēnā pugnāre 5
iusserat.

Prīmā lūce in arēnam contendimus quod omne spectā-
culum vidēre cupiēbāmus. Mox gladiātōrēs erant parātī
in armīs, virī audācēs, perītī, potentēs magnitūdine
corporis. Omnēs prīmī esse adversāriōsque vincere   10
cupiēbant. Neque clāmōribus spectātōrum neque magnitūdine arēnae movēbantur. Semper grātum erat gladiātōribus Rōmānīs pugnāre, vulnerāre, necāre.

15. Father and Son

Gladiātōrēs ubi Imperātōrem salūtāvērunt, ad portam
arēnae collocātī sunt. Inde duo ex gladiātōribus in arēnam
missī sunt. Alter Murrānus appellātus est, alter Accus.
Magnā virtūte dīmicāvērunt. Sed brevī tempore Murrānī
gladius ab Àccō frāctus est. Itaque Murrānus sine gladiō   5
ad portam fūgit, ubi reliquī gladiātōrēs magnam cōpiam
novōrum gladiōrum habēbant. "Date gladium, cito,"
clāmāvit. Erat in gladiātōribus vir fortis, Pugnāx nōmine,
fīlius fīdus miserī Murrānī. Pugnāx ubi patris perīculum
vīdit, gladium ex amīcō cēpit et in arēnam contendit.   10
Virtūte similis erat ferō animālī. "Fuge," clāmat, "mī cāre
pater. Accum necābō." Tum Pugnāx caput Accī gladiō
dēcīdit. Clāmōribus spectātōrum omnēs partēs arēnae
complēbantur. Imperātor ubi fugam patris miserī et
virtūtem Pugnācis fīlī vīdit, fīlium patremque līberārī   15
iussit.

VIII.   ARION AND THE DOLPHINS

16.   Holdup at Sea

Fuit quondam in Siciliā certāmen mūsicōrum. Propter
magna praemia quae cōnstitūta erant, multī et perītī mūsicī
ex omnibus partibus Graeciae ad hoc certāmen convēnerant.
In eīs erat vir Graecus, nōmine Arīon. Quī ubi cantāvit,
5   omnēs aliōs et carmine permōvit et arte mūsicā superāvit.
Quam ob causam magna cōpia pecūniae eī data est. Post
hoc certāmen Arīon ad Graeciam nāvigāre coepit. Sed in
itinere nautae quī in Arīonis nāve erant illīus pecūniam
vīderant et coniūrātiōnem faciēbant. Prīnceps ipse
10 nautārum, "Facile erit," inquit," hanc pecūniam capere.
Iste Arīon virtūte nōn caret, sed ūnus vir neque cum
multīs pugnābit neque pecūniam dēfendet. Tōta praeda
nostra erit." Reliquī nautae eadem dīcēbant. Quam ob
causam prīnceps superbus Arīonem iussit omnem pecūniam
15 nautīs dare et sē ex nāve prōicere in mare.

17.   Musician Rescued

Sed Arīon hōc perīculō nōn territus est quod vir fortis
erat. Carmen magicum dē lūnā stellīsque cantāre coepit.
Brevī tempore delphīnī quī mare incolunt in aquā vīsī sunt
quod carmen illud eīs grātum erat. Arīon ubi cantāvit,
5   dē altā nāve sē prōiēcit. Sed ūnus ex delphīnīs eum in
tergum accēpit et per mare ad terram magnā celeritāte
portāvit. Nautae malī tōtam pecūniam cēpērunt. Quī ubi
ad eōsdem fīnēs contendērunt ad quōs Arīon trāductus
erat, ab incolīs eius terrae interfectī sunt. Brevī tempore
10 pecūnia ex nāve ērepta est. Cuius pecūniae magnam
partem Arīon incolīs fortibus darī iussit. Delphīnōs,
quōrum auxiliō ex perīculō ēreptus erat, multīs
carminibus saepe dēlectābat.

Class Time?

IX. SALMONEUS

18. Human Thunder Maker

Temporibus antīquīs fuit in Graeciā rēx superbus,
Salmōneus nōmine. Quī ubi fulmina audīvit quae Iuppiter
in terram dē monte Olympō mittēbat, hoc cōnsilium
cēpit. In eius fīnibus pōns erat aerātus quī in flūmine lātō
factus erat. Ipse rēx Salmōneus quod Iovem sonitū fulminum 5
superāre cupiēbat, per hunc pontem currū aerātō quattuor
equōrum vehēbātur. Eōdem tempore multās facēs in cīvēs
iaciēbat et magnā vōce clāmābat: "Cavēte, omnēs!
Iuppiter sum!" Cīvēs hīs fulminibus territī sunt et aliī
aliam in partem fūgērunt. Deī quī montem Olympum   10
incolēbant, ubi hunc sonitum terribilem clāmōrēsque
miserōrum incolārum audīvērunt, cum celeritāte in ūnum
locum convēnērunt.

19. Blasted by Jove

Tum Iuppiter, hominum deōrumque pater, "Quis,"
clāmat, "haec facit? Quī vir cīvēs necat? Quid iste
clāmat? Illae facēs quās iacit dissimilēs sunt magnīs
fulminibus quae ipse iaciō. Is quī pār esse cupit rēgī
deōrum interficī dēbet." Quī ubi haec dīxit, fulmen   5
atomicum ex magnō numerō eōrum tēlōrum quae
comparāta erant, ad illum locum portārī iussit. Hoc
tēlum horribile manibus cēpit et dē Olympō in Salmōneum
iēcit. Dēscendit fulmen incrēdibilī celeritāte et rēgem
Salmōneum, quī tum per pontem currū vehēbātur, necāvit 10
eōdemque tempore corpus eius in flūmen dēmīsit. Hōc
fulmine atomicō fīnēs rēgis superbī vāstātī sunt. Tum
ex altō Olympō audīta est vōx patris deōrum:

Fulmina quī iaciunt in flūmina mox iacientur.

X. A SHADY DEAL

20. House Afire!

Fuit quondam Rōmae vir potēns,nōmine Crassus, quī
semper pecūniam faciēbat. Eī satis pecūniae erat, sed
cōpiam augēre cupiēbat. Ūnus ex amīcīs meīs fābulam dē
istō virō nārrāvit:

5 "Quōdam diē," inquit, "Rōmā exierāmus. Tōtum diem
rūrī mānsimus, sed ubi Rōmam multā nocte vēnimus,
rem terribilem vīdimus. Ārdēbat domus nostra. Nunc
flammae eam vāstābant. Mīlia hominum ad incendium
ex omnibus partibus urbis convēnerant. Duo virī
10 superbī eōs ā flammīs magnā dīligentiā prohibēbant.
Ex quibus ūnus, ubi mē vīdit, 'Estne tua,' clāmat,
'haec domus?' 'Mea est,' inquam. Tum alter, 'Urbs
nostra,' inquit, 'auxiliō vigilum perītōrum caret. Quam
ob causam istae flammae tōtam domum tuam cōnsūment.
15 Mox nihil reliquī erit. Sed Crassus, dominus noster,
domum tuam obtinēre cupit. Prō eā hanc pecūniam
accipe.' Paucōs nummōs manū habēbat. Quōs ubi cēpī
nōmenque meum in quōdam librō scrīpsī, 'Nunc,' inquit,
'omnēs partēs huius domūs quae ex flammīs relinquentur
20 Crassō erunt.'

21. How Crassus Made Money

"Brevī tempore ille vir multōs servōs quōs Crassus ad
eam rem difficilem comparāverat undique convocāvit. Hī
magnā celeritāte flammās exstinxērunt. Paucīs mēnsibus
quīdam ex Crassī servīs tōtam domum refēcērunt. Quod
5 ubi factum est, Crassus domum cuidam virō pretiō magnō
vendidit. Eō annō mīlle domūs eōdem modō obtinuit."

Iste Crassus vir ācer erat. Ex calamitātibus aliōrum
pecūniam saepe faciēbat. Sed proximō annō ab hostibus
proeliō necātus est. Ubi ad loca īnferna dēscendit, vigil
10 sōlus illīus regiōnis factus est. Diēs noctēsque ipse Crassus
incendia exstinguere iussus est. Sed tōta illa loca ārdent
flammīs semperque ārdēbunt.

XI. CAMILLA THE AMAZON

22. Flight

Camilla, Metabī fīlia, puella fortissima erat. Māter
eius ē vītā discesserat et Camilla ipsa, quae tum īnfāns
erat, cum patre in quōdam oppidō Ītaliae habitābat. Sed
Metabus propter bellum cīvīle, quod eō tempore gerēbātur,
in hōc oppidō diū manēre nōn poterat. Itaque cum fīliā ad   5
silvās fūgit. Tandem ad quoddam flūmen lātissimum
pervēnit. Post eum hostēs ad eundem locum quam
vēlōcissimē accēdēbant. Sed Metabus, quod Camillam ē
perīculō ēripī cupiēbat, auxilium ā Diānā, deā silvārum,
implōrāvit. "Haec fīlia mea," inquit, "semper tua manēbit,   10
Ō dea, sī eam nunc dēfendēs." Ubi haec dīxit, parvam
puellam ad pīlum magnā cūrā alligāvit idque ad alteram
rīpam magnā vī ēmīsit. Tum ipse, quod hostēs iam
proximī erant, omnia arma, quae graviōra erant, in
terram dēposuit sēque quam celerrimē in aquam prōiēcit.   15
Brevī tempore ad alteram rīpam pervēnit fīliamque tūtam
ibi repperit. Ita hostēs relīquit neque eōs posteā vīdit.

23. Early Years

Metabus cum parvā fīliā in locīs dēsertīs trēs annōs
habitābat quod omnēs urbēs eius regiōnis ab hostibus
obsessae erant. Hōc tempore pater Camillam pīlīs,
gladiīs, aliīsque tēlīs quae sunt grāta virīs armābat.
Poēta nōtissimus, Vergilius nōmine, haec dē illā puellā   5
scrīpsit:
 Tēla manū iam tum tenerā puerīlia iēcit.
Posteā Camilla cum patre in quōdam oppidō laetissima
manēbat. Iam erat puella sēdecim annōrum. Sagittīs multa
et fera animālia in silvīs asperīs saepe necābat eōrumque   10
corpora domum ad patrem portābat. Vēlōcissima erat.
Celerius ventō currere omnēsque iuvenēs et celeritāte et
virtūte superāre potuit. Propter fōrmam pulcherrimam
multīs virīs grāta fuit. Quōrum multī eam in mātrimōnium
dūcere cupiēbant. Sed Diāna, dea silvārum, quae semper   15
virgō mānserat, Camillam magis dēlectābat. Itaque haec
puella omnēs amantēs aliās puellās obsidēre iubēbat.

24. Camilla Joins the Amazons

In eōdem oppidō quaedam fēminae erant ingentī magnitūdine corporis. Hīs fēminīs, quae Amāzones appellābantur, grātum erat cum virīs audācissimīs pugnāre
hostēsque ā moenibus oppidī prohibēre. Amāzones,
5 fēminae fortissimae, ad omnia perīcula parātae erant.
Quā dē causā galeās habēbant in quibus haec verba
īnscrīpta erant: SEMPER PARĀTA. In hanc manum
virginum bellicōsārum Camilla mox accepta est. Post
breve tempus autem, quod reliquās et virtūte et ūsū
10 tēlōrum facile superābat, dux Amāzonum facta est.

25. War in Italy

Post trēs annōs novum bellum in Ītaliā gerēbātur. Ubi
Trōia, quae erat urbs maxima Asiae, ā Graecīs expugnāta
est, Aenēās, dux Trōiānus, in exsilium cum paucīs sociīs
expulsus est. Diū in marī nāvigābat. Tandem ad Ītaliam
5 pervēnit. Brevī tempore gentēs Ītaliae in duās partēs
dīvīsae sunt, quārum ūna amīca, altera inimīca Trōiānīs
erat. Camilla et omnēs aliae Amāzones Trōiānōs ex
Ītaliā expellere cupiēbant. Multa proelia facta sunt in
quibus Turnus, rēx Rutulōrum, ācerrimōs impetūs
10 Trōiānōrum diū sustinēbat. Sed mīlitēs Turnī Trōiānōs
sociōsque eōrum vincere nōn potuērunt. Camilla et quod
oppidum dēfendere cupīvit et quod grātum erat pugnāre prō
patriā, cum reliquīs Amāzonibus, quae armīs īnstrūctae
erant, ad proelium contendit. Magnae cōpiae mūrōs
15 dēfendēbant, equitēsque ex oppidō per agrōs crēbrās
ēruptiōnēs magnā virtūte faciēbant.

26. Lured to her Doom

Camilla, quae nūllōs hostēs timēbat, in medium
proelium prōcessit. Multōs vulnerāvit, multōs necāvit,
plūrimōs in fugam dedit. Quīdam vir erat, Chlōreus
nōmine, quī prō Trōiānīs pugnābat. Hīc vir armīs
5 pulcherrimīs gemmīsque splendidissimīs īnstrūctus erat.
Aureum arcum habēbat, auream galeam. Vestis eius erat
multōrum colōrum. Camilla ubi Chlōreum vīdit, equum

quam vēlōcissimē incitāvit, quod istum virum interficere
armaque omnia eius, praedam splendidam, habēre cupīvit.
Neque clāmōribus sociōrum quī undique convēnerant neque 10
timōre mortis retinērī poterat. Interim dum haec geruntur,
Arrūns, eques inimīcus, quī Camillam exspectābat, eam ā
tergō petīvit pīlōque trānsfīxit. Ipsa Camilla vulnere
cōnfecta est. Dē equō cecidit mortua. Sed Arrūns, quod
hōc factō pessimō territus est, in montēs fūgit. Eōdem 15
diē ipse sagittā necātus est quae dē summō monte ab ūnā
ex nymphīs Diānae incrēdibilī celeritāte missa erat.

XII. THE FABIAN CLAN GOES OUT TO WAR

27. Three Wars at One Time

Antīquīs temporibus Rōmānī cum multīs nātiōnibus quae
in Ītaliā habitābant bellum semper gerēbant. In quibus
erant Aequī, Volscī, Vēientēs. Rōmānī hōs virōs aut suīs
fīnibus prohibēbant aut ipsī in eōrum fīnibus contendēbant.
5 Hōrum omnium audācissimī erant Vēientēs quōrum urbs,
Vēiī nōmine, proxima urbī Rōmae erat. Vēientēs quī armīs
potentissimī semper fuerant, impetūs in Rōmānōs saepe
faciēbant. Quā dē causā magnō impedīmentō erant Rōmānīs
quī in pāce vīvere cupiēbant. Rōmānī neque cōpiīs neque
10 virtūte caruērunt, sed difficile erat bellum cum tribus
nātiōnibus eōdem tempore gerere.

28. A Generous Offer

Hīs temporibus populus Rōmānus in multās partēs
dīvīsus est. In quibus erat gēns Fabia quae omnēs aliās
gentēs virtūte superābat. Quīdam ex Fabiīs, Caesō Fabius,
eō tempore erat cōnsul. Ille quōdam diē ad Patrēs iit.
5 "Gēns mea," inquit, "bellum cum Vēientibus gerere cupit.
Sī hoc vōbīs grātum est, ego et omnēs virī meae gentis
domō discēdēmus istōsque Vēientēs urbe Rōmā prohibēbimus.
Satis pecūniae, satis armōrum habēmus. Brevī tempore
hostēs in fugam dabimus. Quid dīcitis, Patrēs Cōnscrīptī?
10 Cupitisne nōs urbem perīculō līberāre?" Ad haec Patrēs
respondērunt: "Vōs vestramque virtūtem laudāmus, Ō
fortissimī Fabiī. Hoc opus difficile erit; Vēientēs enim
plūrimum possunt. Tamen id bellum vōbīs committimus.
Tōta spēs nostra in vōbīs pōnētur."

29. Departure of the Fabii

Proximō diē omnēs Fabiī, armīs īnstrūctī, parātī erant.
Plūrimī cīvēs Rōmānī quī ex multīs partibus urbis prīmā
lūce convēnerant, magnīs clāmōribus tōtam urbem complē-
bant quod omnibus erat spēs victōriae maxima. Numquam
5 exercitus numerō minor et clārior admīrātiōne hominum
per urbem prōcesserat. Sex et trecentī mīlitēs, omnēs

patriciī, omnēs ūnīus gentis, ad proelium ībant. Quī ubi
pauca mīlia passuum ex urbe iter fēcērunt, ad flūmen
Cremeram pervēnērunt. Id flūmen multīs pedibus
angustius erat flūmine Tiberī. In rīpīs huius flūminis   10
Fabiī castellum mūnīre mātūrābant. Brevī tempore
Vēientēs dē hōc castellō certiōrēs factī, impetum in
Fabiōs fēcērunt. Duās hōrās ācriter pugnābant. Fabiī
multitūdine virōrum ā Vēientibus superātī sunt; sed et
propter suam virtūtem et propter quāsdam legiōnēs quae   15
Rōmā auxiliō eīs missae erant, Vēientēs tandem in
fugam aliōs aliam in partem coniēcērunt.

30. Overconfidence

Post hoc proelium Fabiī victōriā laetissimī ad suum
castellum rediērunt. Vēientēs autem vulneribus cōnfectī
magnā celeritāte domum sē recēpērunt in urbem suam.
Quō in locō multōs diēs sē continēbant neque domō exīre
ad flūmen Cremeram audēbant quod omnēs Rōmānōs   5
magnopere timēbant. Tandem tamen ēruptiōnēs in Fabiōs
cottīdiē facere coepērunt. Quibus in proeliīs Fabiī
semper hostēs vincēbant. Quā dē causā Fabiī ipsī mox
superbī factī sunt. "Nēmō," inquiunt, "nōs superāre
poterit quod multō fortiōrēs aliīs sumus. Sī omnēs   10
Vēientēs proelium nōbīscum committent, nōs sōlī eōs in
fugam coniciēmus et magnam cōpiam praedae facile
capiēmus."

31. Trickery of Veientians

Vēientēs dē superbiā Fabiōrum certiōrēs factī novum
cōnsilium cēpērunt. Quī postquam īnsidiās in silvīs
collocāvērunt, quaedam pecora ex proximīs agrīs
ēgērunt in eam partem viae quā Fabiī iter faciēbant.
Quae pecora ubi Fabiī vīdērunt, praedae studiō incitātī,   5
ea capere cupiēbant. Itaque quam celerrimē contendērunt
et mox ad locum vēnērunt ubi īnsidiae maximā cūrā positae
erant. Subitō et ā dextrō et ā sinistrō cornū multa mīlia
Vēientium impetum in eōs fēcērunt. Diū et ācriter
contendēbant. Fabiī ex omnibus partibus ā mīlle hostibus   10
circumventī inopiā virōrum labōrābant. Tandem Caesō

Fabius suōs iussit in ūnum locum currere aciemque
hostium perrumpere. Via quā Fabiī exībant in altum
collem dūxit. In hōc superiōre locō Fabiī, quī perīculō
15 territī erant, iam virtūtem recipiēbant ācriusque hostium
impetum sustinēbant.

32. The Fabii Annihilated

Vēientēs postquam hoc vīdērunt, id cōnsilium cēpērunt.
Quōsdam ex suīs per silvās circum collem mīsērunt in
quō Fabiī sē dēfendēbant. Hī virī in Fabiōs impetum dē
summō colle fēcērunt. Itaque fortissimī Fabiī undique
5 oppressī, omnēs, trecentī sex numerō interfectī sunt
castellumque eōrum in rīpīs flūminis positum ab hostibus
expugnātum est. Ūnus ex Fabiīs, puer duodecim annōrum
Rōmae relictus erat. Ille post paucōs annōs, ubi pulcherrimam puellam in mātrimōnium dūxit, pater multōrum
10 Fabiōrum factus est et nōmen populī Rōmānī glōriamque
gentis Fabiae auxit.

XIII. WAR WITH GLADIATORS

33. Rebel Army a Threat to Roman Power

Quīdam gladiātōrēs quī in urbe Capuā habitābant, spē
praedae incitātī, domō fugere cōnstituērunt. Quī ubi
magnam cōpiam tēlōrum ex cīvibus sustulērunt, Capuā
exiērunt et duce Spartacō ad montem Vesuvium contendērunt.
Ibi castrīs positīs omnia parāvērunt quae ūsuī bellō erant. 5
Sed Rōmānī hōc perīculō novō permōtī, magnum exercitum
ad hunc locum mīsērunt. Quō exercitū facile victō
gladiātōrēs in aliam partem Ītaliae sē recēpērunt. Gladiīs
pīlīsque armātī incolās eius regiōnis saepe terrēbant. Hīs
rēbus cōnfectīs Spartacus multōs servōs miserōs inopiā 10
cibī adductōs brevī tempore ad arma incitāvit. Inde
maximā manū coāctā maiōrem exercitum Rōmānum
circumventum occīdit.

34. Spartacus Double-crossed and Defeated

His gladiātōribus servīsque oppida Ītaliae lacessentibus
Crassus, cōnsul Rōmānus, posterō annō octō novīs legiōni-
bus cōnscrīptīs, hūc accessit et in Spartacī exercitum
impetum fēcit. Iste gladiātor autem ex omnibus partibus
obsessus suōs in Siciliam trādūcere cupiēbat. Quam ob 5
causam quibusdam pīrātīs convocātīs, "Pecūniam magnam,"
inquit, "vōbīs dabō sī meōs mīlitēs ad Siciliam nāvibus
trānsportābitis." Sed pīrātae omnī pecūniā acceptā, quam
celerrimē discessērunt et Spartacum sociōsque eius in
lītore exspectantēs relīquērunt. Itaque Spartacus undique 10
oppugnātus suōs mīlitēs tamen fortissimē ēdūxit. Illī
aciē īnstrūctā impetum Rōmānōrum diū sustinēbant.
Posteā Rōmānī ipsum Spartacum audācissimē pugnantem
interfēcērunt sociōsque eius vulneribus cōnfectōs in fugam
dedērunt. 15

XIV.   "THIS IS STATION SPQR ----."

A Radio Program of August, 46 B.C.

VOICES: Pūblius Praecōnius, Announcer for Station
                 SPQR
           Lūcius Loquāx, Commentator, who describes
                 for our listening audience
                 the triumphal procession of
                 Julius Caesar through the
                 Roman Forum.
           Julius Caesar, the Triumphator
           Caesar's soldiers

----

35. Roman Triumphal Procession on the Air!

PRAECŌNIUS.   Salvēte omnēs. Ex statiōne SPQR
               Societātis Ēlectricae Rōmānae, Mārcus
               Laevīnus et Sociī, statuārum fabricātōrēs,
               nārrātiōnem prīmī triumphī Caesaris
5   vōbīs trādūcent. Nunc vōs trānsportābimus
               in Forum Rōmānum, ex quō locō Lūcius
               Loquāx, nārrātor noster, omnia de hōc
               triumphō vōbīs dīcet.

LOQUĀX.   Microphōnium nostrum in Sacrā Viā
10   positum est. Omnia ad hunc triumphum
               parāta sunt. Multa mīlia cīvium Rō-
               mānōrum quī ex omnibus partibus urbis
               convēnērunt, triumphum maximum ex-
               spectant. Omnēs laetī sunt clāmōrēsque
15   ad caelum tollunt. Iam prīmum agmen
               vidēre possumus. Accēdunt senātōrēs
               gravissimī, togīs albīs vestītī. Post eōs
               vehitur amplissima praeda quam ipse
               Caesar ex Galliā reportat. Spectātōrēs
20   omnēs spērant sē Caesarem ipsum mox
               esse vīsūrōs. Vōs omnēs scītis hunc

fortissimum virum, tōtā Galliā victā, fīnēs
populī Rōmānī auxisse. Paucīs diēbus aliī
trēs triumphī eiusdem Caesaris celebrā-
buntur. Omnēs hōs triumphōs vōbīs   25
trādūcēmus. Iam ducēs captōs Gallōrum
vidēmus, virōs miserōs, ex quibus brevī
tempore paucī necābuntur. Vercingetorīx,
dux nōbilissimus Gallōrum, prīmum locum
tenet. Fortasse pauca vōbīs dīcet vir ille. 30
Dīc aliquid, Ō magne dux, nostrīs audītōri-
bus. Dēlectatne tē urbs Rōma? Vīdistīne
pulchriōrem urbem? . . . . (A pause)
Nihil respondet. Vir superbus est.
Exīstimō eum īrātum esse. Multa enim   35
sēcum murmurāre vidētur quae intellegere
nōn possumus. Fortasse aliquid Gallicē in
nōs iacit. Nunc praecō noster pauca dīcere
cupit.

36. After a Commercial for Mark Levine & Co.
Caesar Speaks

PRAECŌNIUS. Mārcus Laevīnus et Sociī statuās pulcher-
rimē factās habent omnium imperātōrum
veterum et huius maximī Caesaris quī hodiē
triumphat. Venīte ad nostram tabernam in
Sacrā Viā positam. Spectāte optimās   5
statuās quās Mārcus Laevīnus et Sociī
fēcērunt. Ex hīs statuīs ūnam domī
cōnstituere dēbētis. Sī quis ad nostram
tabernam venīre nōn potest, Mārcus
Laevīnus et Sociī statuam hodiē ad eum   10
portābunt. Venīte ad nōs, vel telephōnāte.
Scrībite hunc numerum: FORUM V I II
IX. Iam vōs in Forum Rōmānum redūcē-
mus ubi Caesar, magnus imperātor noster,
triumphat.   15

LOQUĀX. Exīstimō nōs triumphātōrem ipsum brevī
tempore vīsūrōs. Ecce Caesar! Currū
maximō quattuor equōrum albōrum per

Sacram Viam vehitur. Omnēs salūtat.
20 Clāmōrēs undique tolluntur quōs facile
audīre potestis. Numquam maiōrēs
clāmōrēs ex hōc locō sublātī sunt.
Cupisne, Ō magne Caesar, pauca dīcere
dē istīs fīnibus quōs bellō vāstāvistī?
25 (He holds out the mike to Caesar.)

CAESAR. Gallia est omnis dīvīsa in partēs trēs,
quārum ūnam incolunt Belgae, (A sudden
crash is heard, then shouts and sounds of
confusion.)

37. An Accident. Soldiers' Song. End of Program.

LOQUĀX. Per deōs immortālēs, aliquid contrā ex-
spectātiōnem factum est. Imperātor dē
currū cecidit neque causam huius reī
reperīre possumus. Undique maxima
5 multitūdō hominum hūc convenit. . . . . . .
(Shouts and confusion) Quīdam dīcit axem
currūs imperātōris frāctum esse. Nunc
Caesarem videō. Tūtus esse vidētur
neque ex istō cāsū labōrāvisse. Aliō currū
10 vehitur. Iam in cōnspectum veniunt mīlitēs
Rōmānī quōs lēgātī equitēsque praecēdunt.
Hī mīlitēs, quod magna praemia ā Caesare
hodiē accēpērunt, laetissimē cantant.
Audīte eōs cantantēs.

15 MĪLITĒS. Ecce Caesar nunc triumphat, quī vāstāvit
Galliam.
Istīs librīs quōs cōnscrīpsit labōrābunt
puerī.

LOQUĀX. Hōs virōs fortissimōs laudāre dēbēmus
20 quōrum virtūte omnēs gentēs terrā marīque
superābuntur. Sed nunc videō nihil temporis
mihi relictum esse. Itaque vōs omnēs, Ō
bonī audītōrēs, salvēre iubeō. Paucīs
diēbus ego, Lūcius Loquāx, quī haec nūntiāvī,

reliquōs triumphōs Caesaris per hās   25
eāsdem statiōnēs eādem hōrā vōbīs
nārrābō.

PRAECŌNIUS. Mārcus Laevīnus et Sociī novam quandam
statuam Caesaris vōbīs dēmōnstrāre
cupiunt. Eam scīmus vōs magnopere   30
dēlectātūram. Nūllīs mercātōribus sunt
meliōrēs statuae quam Mārcō Laevīnō et
Sociīs. Statiōnem SPQR audītis Rōmae
collocātam.

XV. THE RETURN OF TONY MARTINI

38. A Soldier in World War II

In exercitū Americānō quīdam mīles Ītalicus erat,
nōmine Antōnius Martīnus, quī prīmōs annōs puer in Ītaliā
cum parentibus suīs ēgerat. Multīs ante annīs pater eius
pecūniae cupiditāte permōtus, sē omnēsque suōs līberōs ad
5 Americam contulerat. Posteā bellō Germānicō secundō
Antōnius iam XIX annōs nātus pedes Americānus in nostrō
exercitū ascrīptus est. Complūrēs mēnsēs in castrīs
magnā cum cūrā exercitātus, tandem ad antīquam patriam
ab Germānīs turpiter vāstātam remissus est. Germānīs
10 ex Siciliā expulsīs Antōnius sociīque eius Americānī brevī
tempore ad ipsam Ītaliam trānsiērunt. Difficillimum erat
Germānōs vincere quod fortissimē nostrīs resistēbant.
Antōnius tamen omnēsque mīlitēs eius legiōnis multō
fortius quam hostēs contendēbant. Itaque saepe Germānī
15 in fugam datī sunt. Maxima cōpia armōrum et cibī dē
nostrīs āeroplānīs cottīdiē dēmissa magnō ūsuī nostrīs
erat. Quā rē mīlitēs Americānī neque cibō neque armīs
neque aliīs rēbus bellō idōneīs carēbant.

39. Before the Battle

Diē quārtō Iūlī Antōnius noster in prīmā aciē sīgnum
proelī exspectāns, plūrima oppida in collibus proximīs ab
hostibus incēnsa vidēbat. Nox erat obscūra quod lūna
occiderat. "Sī domum," inquit Antōnius, "pāce factā ad
5 Americam redībō, etiam maiōrēs ignēs proximō annō faciam
et multa mīlia candēlārum Rōmānārum in caelum mittam."
Subitō ūnus ex amīcīs Antōnī bombā Germānicā vulnerātus
cecidit. Aliī quoque quī proximī erant vulneribus cōnfectī
sunt. Antōnius tamen Deī grātiā tūtus erat. Tum medicīs
10 convocātīs Antōnius reliquīque mīlitēs ad impetum prōcessērunt. Per loca dēserta, per silvās dēnsissimās ībant
neque quemquam mīlitem Germānicum vidēbant. Tandem
ad quoddam oppidum in colle positum advēnērunt. Ibi
hostēs cōpiās suās īnstrūxerant. Explōrātōrēs praemissī
15 renūntiant multa mīlia Germānōrum adventum nostrum in

oppidō exspectāre. Lēgātus, vir magnā auctŏritāte, suōs cohortātus, "Omnēs," inquit, "ācerrimē et audācissimē impetum faciēmus. Sī quis perīculō territus fugiet, sine morā necābitur. Nunc vōs iubeō mē sequī omnēsque Germānōs ad loca īnferna quam vēlōcissimē dēmittere." 20

40. Girl Wounded

Maximā cum cūrā nostrī ad moenia oppidī contendēbant. Sua quemque virtūs sustinuit. Antōnius iam sōlus prō- cēdēbat neque quemquam suōrum nocte obscūrā vidēre poterat. Undique erat silentium. Incolae oppidī et mīlitēs Germānicī dormīre vidēbantur. Mīlle stellae 5 Antōnium audācter in perīculum prōgredientem ex caelō dēspiciēbant. Subitō ā dextrā parte putāvit sē aliquem inter silvās clāmantem audīre. "Sī quem vidēbō," inquit, "prīmus tēlum iaciam." Diū in eōdem locō manēbat. Inde vōcem puellae miserē clāmantis audīvit. Quam vōcem 10 secūtus virginem Italicam vulnere cōnfectam repperit. "Quid est?" inquit Antōnius, linguā Italicā ūsus. "Quis tibi nocuit?" Tum illa, "Istī pessimī Germānī," respondit, "mē omnēsque meōs domō turpissimē expulērunt. Mē ex op- pidō fugientem vulnerāvērunt, sed vulnus nōn est grave. 15 At tū, mīles, cūr nōn proficīsceris ad proelium? Ego tūta sum. Oppidō expugnātō, tē exspectābō." Antōnius iam vīdit virginem gracillimam et pulcherrimam esse. "Oppidō potītus," inquit, "hūc redībō auxiliumque ad tē feram. Valē, parvula!" Hīs rēbus dictīs ad proelium 20 profectus sub ipsa moenia contendit.

41. Tony is Hit

Iam quōsdam ex suīs sociīs ad eundem locum con- venientēs vidēre poterat. Subitō hostēs in summīs moenibus positī impetum in nostrōs fēcērunt. Ipsō lēgātō occīsō, multīs vulnerātīs, reliquī tamen fortissimē Germānīs resistēbant. Antōnius ubi paucōs mīlitēs 5 coēgit, eōs per viās dēserfās ad medium oppidum sēcum proficīscī iussit. Diū et ācriter dīmicābant. Antōniō autem fortiter pugnantī imāgō puellae vulnerātae in mentem saepe redībat. Iam omnibus hostibus dē mūrō

10 dēpulsīs, nostrī in ipsās viās oppidī iter faciēbant. Ex
omnibus aedificiīs multitūdō tēlōrum in nostrōs dēiciēbantur.
Tandem Antōnium per multa corpora necātōrum audācter
trānsīre cōnantem tēlum capite vulnerāvit. Ipse prōnus
cecidit. Prīmō stellae dē caelō dēscendere vidēbantur.
15 Tum omnia nigra fīēbant neque quicquam posteā complūrēs
hōrās sēnsit.

42. Street Song

Posterō diē omnibus Germānīs in fugam coniectīs,
Antōnius prīmā lūce somnō solūtus, oculīs apertīs, "Ubi est
illa puella," inquit, "quam vulnerātam in silvīs relīquī? Ībō
et eam hūc referam." "Quam puellam dīcis?" inquit medi-
5 cus quī vulnera Antōnī vinciēbat. Tum Antōnius medicō
nārrābat sē puellam Ītalicam vulnere labōrantem extrā
moenia proximā nocte vīdisse. "Sed tū, Antōnī," respondit
medicus, "propter vulnus tuum neque illam referre neque
tē sustinēre potes. Tē iubeō hīc manēre. Brevī tempore
10 duo ex servīs in silvam mittam quī istam hūc referent.
Spērō eam tūtam futūram esse." Tum medicus opere
cōnfectō discessit. Subitō vōx cuiusdam ex viā dulciter
cantantis audīta est:

"Ō mīles fortis, fortior
15   Mīlitibus fortissimīs,
  Pervicta ego vincior
    Amōris tuī vinculīs."

Tōtum illud carmen Antōnius multīs ante annīs in Ītaliā
cognōverat. Itaque respondit magnā vōce secundamque
20 partem laetē cantāvit:

"Puella pulchra, pulchrior
    Omnibus puellulīs,
  Permōtus semper incitor
    Duōbus nigrīs oculīs."

43 Valentina

Subitō in cōnspectum vēnit puella quae cibum ad
mīlitēs vulnerātōs portābat. Antōnius ubi eam vīdit,
"Tūne," inquit, "cantābās?" "Certē," respondit puella.
"Dēlectatne tē illud carmen?" "Magnopere," respondit
ille. "Nōnne mē secundam partem cantantem audīvistī?"   5
Tum illā propius accēdente, "Ipsa est," clāmāvit Antōnius,
"quam ēripere cupiēbam. Quid agis, dulcissima?" "Satis
valeō," respondit "Sed tū, mīles, valēsne nunc? Cupisne
aliquid?" "Tē vīsā," respondit Antōnius, "valeō." Tum illa
ad Antōnium in sedīlī sē collocāvit. "Dē tē," inquit ille,   10
"multa cognōscere cupiō. Quis es? Ubi habitās?" "Nōmen
mihi," respondit illa, "est Valentīna. Ante adventum
Germānōrum in hōc ipsō domiciliō cum parentibus et
frātribus habitābam. Prīmō autem impetū hostium et
pater et māter et trēs ex frātribus in meō cōnspectū   15
occīsī sunt. Mē ex oppidō fugientem tēlum vulnerāvit.
Posteā tē impetum in Germānōs factūrum vīdī. Tū, mīles,
spem novam mihi dedistī animumque meum auxistī.
Itaque tē ad oppidum secūta, ūnō pede ūsa, domum rediī.
Nunc medicīs quī Americānōs vulnerātōs sānant auxiliō   20
sum. Sed iam discēdam. Nōn est satis temporis. Mox
redībō. Valē, mīles!" Antōnius autem amōre cōnfectus
eam manū retinuit. "Accēde hūc," inquit. "Nōnne tē
abhinc multōs annōs vīdī?" Tum Valentīna laetissima,
"Tōnī," exclāmat, "Tū es ille puer nōmine Antōnius   25
Martīnus, quī proximus nōbīs in hāc viā angustā
habitābās." Tum Antōnius, "Ipse sum," inquit, "quem
dīcis. Ad Americam abhinc decem annōs profectus, iam
ad tē rediī."

XVI. TARPEIA THE TRAITRESS

44. A Perfidious Plan

Tatius, dux Sabīnōrum, exercitum Rōmam dūxerat ut
Rōmānōs vinceret. Sed cōpiae Rōmānae in arce obsessae
omnēs impetūs hostium tam fortiter sustinuerant ut Sabīnī
arce potīrī nōn possent. Ducī Rōmānō ūna fīlia erat quae
5 Tarpēia appellābātur. Haec puella perfida erat neque
quisquam eī crēdēbat. Quae ubi cognōvit mīlitēs Sabīnōs
magnam cōpiam ānulōrum habēre, hoc cōnsilium cēpit.
Posterā nocte ex arce profecta est magnā cum cūrā nē ā
mīlitibus vidērētur. Ad castra Sabīnōrum ducemque
10 Tatium accēdēbat ut illōs ānulōs dē quibus audīverat ipsa
obtinēret. Inde ad Tatium ā mīlite Sabīnō ducta, "Tatī,"
inquit, "sī quoddam praemium mihi dederis, vōs omnēs in
arcem admittam." "Quid cupis?" inquit Tatius. "Illa,"
respondit Tarpēia, "quae tū mīlitēsque tuī sinistrā manū
15 habētis." Tatius ānulōs magnōs pulchrōsque ex aurō
factōs sinistrā manū gerēbat. Tum ille, "Sī nōs admittēs,"
inquit, "omnia quae sinistrīs manibus gerimus mox tibi
dabimus."

45. The Price is Paid

Hīs rēbus cōnfectīs Tarpēia ita celeriter ad arcem sē
recēpit ut pater nōn intellegeret eam profectam esse.
Neque ille neque mīlitēs eius de hōc cōnsiliō certiōrēs
factī erant. Ad multam noctem autem Tarpēia domī
5 morāta est nē quis sē cōnspicārētur. Tum portīs apertīs
exercitum Sabīnōrum quī hūc adductus erat in arcem ad-
mīsit. Undique erat caedēs magna et horrida. Multa mīlia
Rōmānōrum occīduntur. Reliquī ex arce expulsī tam
celeriter fugiunt ut brevī tempore vidērī nōn possint.
10 Posteā Sabīnī castellō potītī ipsam Tarpēiam ad portam
exspectantem reppererunt. Cui Tatius, "Dēbita praemia,"
inquit, "tibi dabimus, Ō perfida puella." Hāc rē dictā
Tatius et omnēs mīlitēs eius scūta gravissima quae
sinistrīs manibus gerēbant in perfidam puellam coniēcērunt.
15 Tarpēia tantā multitūdine scūtōrum oppressa est ut mox
caderet neque posteā sē tollere posset. Brevī tempore
mortua erat.

Sīc semper cadent omnēs quī patriam hostibus trādunt.

XVII. HORSEMEN IN WHITE

46. A Prayer Answered

Bellō Latīnō Aulus Postumius, dictātor Rōmānus, cum Latīnīs apud lacum Rēgillum proelium commīserat. Mīlitēs Rōmānī hostibus diū et ācriter resistēbant, sed neque eōs in fugam dare neque eōrum impetum sustinēre pcterant. Aulus quod vidēbat suōs in perīculō esse, deōs rogāre 5 cōnstituit quid dē hāc rē fierī dēbēret. Itaque manibus ad caelum sublātīs, "Vōs implōrō," inquit, "Ō deī geminī, Castor et Pollux, quī omnēs hominēs dēfenditis, auxilium vestrum nōbīs mittite nē ab hostibus pellāmur. Istī Latīnī tam audācter prōcēdunt ut eōrum impetum diūtius morārī 10 nōn possīmus. Sī nōs dēfendētis, amplum pulchrumque templum vōbīs Rōmae aedificābimus."

Hīs rēbus dictīs, Aulus duōs nōbilissimōs equitēs vīdit in prīmā aciē exercitūs Rōmānī pugnantēs. Albī equī eōs vehēbant, albīs tēlīs ipsī ūtēbantur. Quī ubi Latīnōs aliōs 15 aliam in partem pepulērunt, celeriter ē cōnspectū omnium discessērunt. Tum Aulus decem explōrātōrēs praemīsit quī eōs equitēs cōnsequerentur. Sed neque quī essent illī dēfēnsōrēs neque ad quem locum exīssent cognōscī poterat.

47. The News is Brought to Rome

Illā nocte omnēs cīvēs Rōmānī quī idōneī bellō nōn erant in moenibus urbis Rōmae exspectābant ut quam celerrimē dē ēventū pugnae certiōrēs fierent. Subitō in cōnspectum veniunt duo equitēs albī. Quī ubi ad quendam fontem prōcessērunt, equīs aquā lavātīs, cīvibus nūntiant quid apud 5 lacum Rēgillum factum sit. Sē ipsōs Rōmānīs auxiliō fuisse dīcunt Latīnōsque in fugam coniēcisse. Quibus rēbus dictīs ē cōnspectū fūgērunt neque quisquam eōs posteā vīdit. Posterō diē autem nūntiī ab Aulō missī quī incolās certiōrēs dē magnā victōriā facerent, dīxērunt duōs equitēs albīs 10 equīs vectōs hostēs vīcisse. "Posteā," inquiunt, "ē proeliō ita celeriter exiērunt ut eōs cōnsequī nōn possēmus. Neque ūllum aliud sīgnum relīquērunt nisi vestīgium equī dīvīnī in saxō quōdam impressum."

15   Tum omnēs cīvēs ubi cognōvērunt Aulum petīvisse
auxilium ab Castore eiusque frātre Pollūce, sciēbant hōs
ipsōs deōs prō lībertāte Rōmae illō diē pugnāvisse. Posteā
Rōmānī pulchrum templum geminīs frātribus dēdicāvērunt.
Post multōs annōs aliud templum amplissimum eīsdem deīs
20 hōc ipsō locō aedificātum est. Cuius templī autem trēs
columnae albae hodiē in Forō Rōmānō vidērī possunt.

XVIII. SECRET WEAPON

48. A Fiendish Plan

Hannibal cum rēge Eumene, populī Rōmānī sociō,
bellum nāvāle gerēbat. Quod superābātur multitūdine
nāvium, timēbat nē ā rēge vincerētur. Itaque cum pār nōn
esset Eumenī armīs, hoc novum cōnsilium iniit. Suīs
imperāvit ut quam plūrimās serpentēs cōgerent eāsque in 5
quaedam vāsa pōnerent. Quā rē cōnfectā, diē ipsō proelī
suōs convocāvit eōsque iussit in ūnam Eumenis nāvem
impetum facere. Dīxit eōs ā reliquīs nāvibus rēgis facile
sē dēfendere posse magnō numerō serpentium. "Vōbīs
dēmōnstrābō," inquit, "quā nāve rēx ipse vehātur. Sī quis 10
eum cēperit aut interfēcerit, magnum praemium accipiet."
Tum suōs cohortātus nē multitūdine hostium terrērentur,
aciem īnstrūxit.

49. Locating the King

Cum omnia ad proelium parāta essent, Hannibal tamen
quendam nūntium cum epistulā mīsit quī sē suōsque virōs
certiōrēs faceret quō locō Eumenēs esset. Nūntius cum
ad nāvēs hostium pervēnisset epistulamque dēmōnstrāns
dīxisset sē rēgem petere, statim ad Eumenem ductus est, 5
quod omnēs exīstimābant aliquid dē pāce scrīptum esse.
Tum nāve rēgis suīs ita dēmōnstrātā, ad eundem locum ex
quō profectus erat quam celerrimē sē recēpit nē Hannibalis
cōnsiliō cognitō ipse caperētur. At Eumenēs solūtā epistulā
nihil in eā repperit nisi fābulam cōmicam quam ipse 10
Hannibal scrīpserat ut eum irrīdēret.

50. The Plan Succeeds

Rēx cum eius reī causam cognōscere nōn posset, tamen
proelium committere mātūrābat. Prīmō impetū sociī
Hannibalis omnēs nāvem Eumenis petīvērunt. Quōrum
impetum rēx cum sustinēre nōn posset, fugā salūtem
petīvit. Interim reliquae hostium nāvēs adversāriōs 5
ācrius pellēbant. Subitō tamen in eās illa vāsa dē quibus

mentiōnem fēcimus conicī coepta sunt. Quibus iactīs
nautae hostium prīmō rīdēbant neque quā rē id fieret
intellegere poterant. Sed postquam nāvēs suās complētās
10 serpentibus vīdērunt, hāc rē ita perterritī sunt ut pugnāre
nōn audērent. Quam ob causam nāvibus conversīs sē ad
sua castra nautica rettulērunt.

XIX. THE POWER OF PRAYER

51. Hōrum Chrīstiānōrum tanta fuit virtūs ut cum in
arēnam ēductī essent timor animōs eōrum nōn occupāret.
Eōdem tempore leōnēs ferōcissimī ēmissī sunt ut eōs
lacesserent. At Chrīstiānī ubi Deum rogāvērunt ut sibi
praesidiō esset, in mediam arēnam prōgressī, ibi   5
mānsērunt neque veritī sunt nē ab istīs animālibus
occīderentur. Leōnēs cum cibō multōs diēs carērent,
hīs fortissimīs hominibus tamen nocēre nōn ausī sunt.
Hāc rē vīsā, Imperātor prīmō cognōscere nōn potuit quid
fieret. Postquam autem intellēxit hōs Chrīstiānōs ab   10
ipsō Deō dēfendī, quōsdam ex suīs nūntiīs praemīsit quī
eōs līberārent.

XX. A FAKE GOD HELPS THE ATHENIANS

52. Periclēs, dux Athēniēnsium, cum omnia ad proelium
parāta essent, tamen magnopere timēbat nē hostēs sē
proeliō vincerent. Istī enim tantam multitūdinem virōrum
undique coēgerant ut tōtum collem in quō īnstrūctī sunt
5 facile complērent. Periclēs autem suōs in silvā dēnsis-
simā īnstrūctōs impetum hostium exspectāre iussit. Quī
cum per incolās huius regiōnis certior factus esset illam
silvam Plūtōnī sacram esse, aliquid novī facere cōnstituit.
In exercitū eius quīdam vir erat tantā magnitūdine corporis
10 ut nēmō eī resistere audēret. Periclēs hunc virum in
currū quattuor equōrum cōnstituit, quī sīgnō proelī datō
vēlōciter prōveherētur et magnā vōce Periclem appellāns
hīs verbīs cohortarētur: "Omnēs deī prō Athēniēnsibus
dīmicābunt." Hāc rē terribilī vīsā, dux hostium cum
15 intellegere nōn posset quid fieret, prīmō tacēbat. Inde
arbitrātus deōs ipsōs hūc accessisse ut auxilium Athēniēnsibus ferrent, suīs persuāsit nē hōc locō diūtius morārentur,
imperāvitque ut domum sē quam celerrimē reciperent.

XXI. CLAUDIA QUINTA

53. Importing a Foreign Goddess

Hannibal, dux Carthāginiēnsium perītissimus, cum
Rōmānōs vincere nōn posset, tamen in Ītaliā cum exercitū
complūrēs annōs manēbat ut Rōmānōs quam diūtissimē
parvīs proeliīs lacesseret. Rōmānī autem quod timēbant
ut istum hostem ex suīs fīnibus pellere possent, auxilium   5
petere cōnstituērunt ab Magnā Mātre Deōrum, deā
potentissimā, cuius statua in quōdam oppidō Asiae collocāta erat. Itaque quīnque lēgātōs, prīncipēs cīvitātis,
ad rēgem Attalum in Asiam mīsērunt quī eī persuādērent
ut eam statuam Rōmam mitteret. Attalus cum amīcus et   10
socius populī Rōmānī esset, lēgātōs benignē accēpit et
cum cognōvisset quid vellent, statim dīxit sē illam
statuam eīs datūrum. Inde postquam lēgātōs ad oppidum
dūxit in quō statua huius deae erat, "Accipite," inquit, "hanc
deam. Vestra erit. Spērō autem eam vōbīs auxiliō   15
futūram esse." Hīs rēbus audītīs lēgātī ubi statuam
maximam, quae ex lapide nigrō facta est, magnā cūrā
sustulērunt eamque in nāve suā cōnstituērunt, Rōmam
quam celerrimē profectī sunt.

54. A Bad Omen

Post multōs mēnsēs nāvis, quā lēgātī Rōmānī statuam
Mātris Deōrum Rōmam vehēbant, ad eum locum pervēnit
in quō flūmen Tiberis in mare īnfluit. Magna multitūdō
senātōrum et longum agmen mātrōnārum Rōmānārum
Virginumque Vestālium Rōmā convēnerant ut deam ac-   5
ciperent atque magnō honōre in urbem ferrent. Omnēs
laetī erant; arbitrābantur enim hanc deam novam sibi
tantam spem tantamque virtūtem lātūram ut brevī
tempore Hannibal ex Ītaliā facile expellerētur. Subitō
tamen nāvis illa in quōdam vadō flūminis cōnstitit ut   10
neque ab nautīs neque ab eīs quī ex rīpā fūne alligātō eam
magnō labōre extrahere cōnābantur movērī posset.
Omnēs cum vidērent quid factum esset, magnopere
permōtī sunt, quod timēbant nē dea longō itinere cōnfecta
sibi inimīca esset. Quā dē causā timor animōs omnium   15

occupābat, neque quisquam oculōs ad deam tollere
audēbat.

55. Proof of Innocence

In mulieribus quae ad rīpam exspectābant erat quaedam
virgō, Claudia Quīnta nōmine, ex nōbilī genere nāta. Haec
puella pulcherrima cum semper casta fuisset atque pūra,
tamen et quod omnibus virīs grātissima erat et quod saepe
5 per viās urbis prōcēdēbat capillīs variē adōrnātīs, incesta
dīcēbātur. Quae cum vidēret nāvem movērī nōn posse, ex
agmine fēminārum in mediōs virōs vēlōciter prōgressa est.
Tum manibus ad caelum sublātīs, "Audī mē," inquit, "Ō
Magna Māter Deōrum. Sī innocēns sum, dā mihi sīgnum
10 quō omnēs sciant mē pūram castamque virginem esse."
Quae cum hoc dīxisset, fūnem manibus tenuit. Tum
omnibus spectantibus nāvem minimō opere ad rīpam
trahere coepit. Brevī tempore dea ipsa, quae hōc mīrāculō
dēmōnstrāverat Claudiam innocentem esse, Rōmam portāta
15 est. Quae cum ab omnibus cīvibus laetē in urbem accepta
esset, in templō Victōriae cōnstitūta est ut victōriam
Rōmānīs reportāret. Paucīs annīs, Hannibale ex Ītaliā
revocātō, bellum cōnfectum est.

XXII. OUR LADY'S JUGGLER

56. Rescue

Fuit quondam in Galliā antīquā genus hominum quī
pilāriī appellābantur. Hī in omnia oppida eius terrae iter
faciēbant magnāque multitūdine cīvium collectā omnēs et
fābulīs et carminibus et rēbus mīrābilibus dēlectābant. Ex
eīs pilāriīs quīdam vir erat, Iohannes nōmine, quī omnēs 5
aliōs arte suā superābat. Capite inversō enim manibus sē
sustinēbat eōdemque tempore sex pilās mōtū pedum in
āera pellēbat. Multās aliās rēs cōnficere poterat quibus
spectātōrēs dēlectāret. Cum omnibus grātus esset, tamen
ex suīs labōribus satis pecūniae ad vītam sustinendam non 10
accipiēbat. Itaque hieme ineunte, inopiā cibī longīsque
itineribus ita cōnfectus est ut quōdam diē in fossam caderet.
Quō in locō duōs diēs mānsit. Tandem ā quōdam monachō
repertus est quī ā fīnitimō monastēriō vēnerat. Hīc
monachus cum Iohannem vidēret, prīmō putābat eum 15
mortuum esse. Sed ubi intellēxit illum miserum virum
etiam tum vīvere, eum sublātum quam celerrimē domum
ad monastērium portāvit.

57. Month of May

Cui monastēriō quod Clāra Vallis nōminātum est vir
optimus, Sanctus Bernardus, quondam praefuerat. Hōc locō
Iohannes noster bonō cibō cūrāque monachōrum per hiemem
convalēscēbat. Quī cum scīret. sē ab hīs monachīs ex morte
ēreptum esse, spērābat sē cum frātribus semper mānsūrum. 5
Sed cum vīrēs eius paene refectae essent, timēre coepit nē
tempus discēdendī adesset.

Iam mēnsis Maius appropīnquābat, quī mēnsis sacer est
Beātae Virginī. Omnēs monachī diēs noctēsque labōrābant
ad paranda dōna in honōrem Mātris Chrīstī. Aliī statuās 10
aliī hymnōs faciēbant quibus gaudium laudemque Virginī
afferrent. Iohannes tamen hārum rērum imperītus erat.
Quā dē causā magnō dolōre afficiēbātur. Ipsam Virginem
enim magnopere amābat sciēbatque eam semper auxiliō
sibi fuisse. 15

58. Sacrilege!

Quādam nocte ūnus ex monachīs ad capellam monastērī
profectus est in quā erat altāre Beātae Virginis. Quī cum
ad portam huius capellae vēnisset, aliquem in capellā
loquentem audīvit. Portā apertā Iohannem ipsum ad altāre
5   stantem cōnspexit. Iste pilārius gaudiō complētus ūnam
ex suīs fābulīs antīquissimīs Virginī nārrābat. Quod cum
fēcisset, "Nōn possum," inquit, "Ō sanctissima Virgō, tē
laudāre hymnīs et statuīs quibus monachī nostrī tibi
gaudium afferunt. Mōnstrābō tamen quantopere tē amem."
10 Haec locūtus sē mīrum in modum prōiēcit ad dextram,
manibus pedibusque ūsus (id quod nōs rotam plaustrī ap-
pellāmus).
    Monachus quī haec spectābat ita permōtus est ut quam
vēlōcissimē sē cōnferret ad aliōs monachōs quaerendōs.
15 Quōs postquam omnēs convocāvit, magnā vōce certiōrēs
dē hīs rēbus fēcit.

59. Miracle

Monachī cum audīvissent quid ad altāre Beātae Virginis
gererētur, Abbātem ipsum dē hāc rē certiōrem facere
cōnstituērunt. Ille ubi omnia audīvit, monachīs imperāvit
ut statim sēcum ad capellam īrent nē quid malī ab istō
5   īnsānō pilāriō fieret. Itaque agmine factō omnēs monachī,
Abbāte dūcente, ad capellam sē contulērunt. Portā apertā
in capellam iniērunt. Eō tempore pilārius Virginem
alloquēbātur; neque verbīs neque virtūte carēbat. "Accipe,
Ō beātissima Virgō," inquit, "quod optimum tibi offerre
10 possum." Quī cum hoc dīxisset, manibus sē sustinuit
pedibusque suīs sex pilās in āera diū pellēbat.
    Abbās ipse, vir senex, horrōre et īrā affectus, ad altāre
prōcēdere coepit ut facilius omnia vidēret. Eī autem erat
in animō istum pilārium ē capellā ēicere. Subitō tamen
15 cōnstitit neque quicquam dīcere poterat. Nam statua
Virginis quae super altāre posita erat, nunc vīva facta est
et Virgō ipsa dulciter surrīdēns miserum pilārium
benedīxit. Hōc mīrāculō vīsō omnēs monachī genibus
flexīs Mātrem Chrīstī adōrāvērunt.

XXIII. THE CROW WHO WAS A MIGHTY JESTER

60. Gregōrius dē Monte Longō habēbat quendam corvum.
Loquēbātur īdem corvus mōre hūmānō et maximus erat
ioculātor. Surgēbat enim mediā nocte et vocābat dē
hospitiō novōs hospitēs, clāmāns, "Quis vult venīre
Bonōniam? Veniat, veniat, veniat! Celeriter! Celeriter!   5
Surgite! Surgite! Venīte! Venīte! Nōlīte morārī! Portāte
rēs vestrās! Eāmus, eāmus! Ad nāvem! Ad nāvem!"
Hīs verbīs incitātī, novī hospitēs, quī ignōrābant iocōs
istīus corvī, quam vēlōcissimē surgēbant et cum rēbus
suīs per reliquam noctem in rīpā flūminis exspectābant   10
nāvem quae sē portāret quō īre volēbant; et mīrābantur
ā quō ita dēlūsī essent, cum nēminem ibi audīrent.

XXIV. SAILORS SIGHT SEA SERPENT

61. Quīdam nautae stupidī, cum plūrimās fābulās dē
serpentibus marīnīs audīvissent, nāvigāre cōnstituērunt ad
illa loca in quibus mare multō altius est altissimīs montibus.
Nam hīs locīs serpentēs ingentī magnitūdine corporis
5 habitāre dīcēbantur. Itaque novā nāve potītī sine morā
profectī sunt. Quī ubi ad hās regiōnēs pervēnērunt,
mōnstrum horribile in summō marī iacēns vīdērunt. Sed
cum quāsdam litterās Russicās in mōnstrō īnscrīptās
binoculīs suīs cōnspexissent, putābant sē serpentem
10 Russicam invēnisse. "Nēmō," inquiunt, "ante hoc tempus
serpentem eius modī repperit. Propius accēdāmus et
istud mōnstrum tēlīs occīdāmus." Cum hoc facere
cōnārentur, subitō illa serpēns sonitū horribilī ēmissō
sē submersit neque posteā ab hīs nautīs est vīsa. Hāc rē
15 stupefactī nautae, quī nesciēbant sē nāvem submarīnam
Russicam vīdisse, in mare dēspiciēbant ut illud mōnstrun
cōnspicerent. Dum haec geruntur, nāvis submarīna
torpēdinem ēmīsit tantā cūrā dīrēctam ut omnēs nautās
stupidōs ad loca īnfima maris dēmitteret.

XXV. A WEREWOLF STORY

62. Graveyard Scene

Cum servus essem, habitābāmus in viā angustā. Ibi
amāre coepī puellam pulcherrimam nōmine Melissam.
Quādam nocte cum dominus meus Capuam discessisset ad
negōtia cōnficienda, mihi erat in animō domum Melissae
exīre, quae aberat tria mīlia passuum. Cum iter longum   5
esset, cuidam amīcō persuāsī ut mēcum īret. Ille vir mīles
erat fortissimus. Paulō ante mediam noctem profectī
sumus. Lūna plēna lūcēbat. Mediō itinere ad monumenta
vēnimus. Quō in locō cōnstitimus vīrium reficiendārum
causā. Sedeō ego laetissimus et monumenta numerāre   10
coepī. Inde cum respexissem, amīcum meum omnia sua
vestīmenta in viā pōnentem vīdī. Nōlī putāre mē iocārī.
Subitō ille in cōnspectū meō lupus factus est. Tum
ululāre coepit et in silvās fūgit.

63. A Killer

Hāc rē horribilī perterritus prīmō nesciēbam ubi essem,
inde appropīnquāvī ut vestīmenta eius tollerem. Illa autem
lapidea facta erant. Timōre paene cōnfectus gladium tamen
ēdūxī et maximā celeritāte ad vīllam amīcae meae cucurrī.
Quō ubi pervēnī, Melissa mē rogāvit cūr tam multā nocte   5
iter facerem. "Sī anteā," inquit, "vēnissēs, auxilium nōbīs
attulissēs. Lupus enim vīllam intrāvit et omnia pecora
necāvit. Nōn effūgit tamen sine vulnere. Servus noster
enim collum eius pīlō vulnerāvit." Hīs verbīs audītīs
oculōs aperīre amplius nōn potuī, sed domum statim   10
profectus sum. Cum in illum locum vēnissem in quō
lapidea vestīmenta erant facta, nihil repperī nisi sanguin-
em. Sed ubi domum advēnī, iacēbat mīles meus in lectō
et collum eius medicus cūrābat. Tum intellēxī illum esse
versipellem. Posteā cum illō cibum cōnsūmere nōn   15
potuī, nōn sī mē necāvissēs.

42

XXVI. HUMPTY DUMPTY

64. Humptius Dumptius, vir nōtissimus, Lutetiam quondam
vēnerat ut omnia de hāc urbe antīquissimā cognōsceret.
Quōdam diē ad mūrum profectus est quī urbem Lutetiam
circumclūsit. Huius mūrī, quī ab Gallīs factus erat, tanta
5 erat altitūdō ut hostēs in urbem irrumpere numquam
possent. Sed Humptius cum ad hunc locum pervēnisset,
magnīs vīribus corporis ūsus, ad summum mūrum perfacile
sē sustulit. Hōc locō multās hōrās cōnsīdēbat unde tōtam
urbem dēspicere poterat. Paucī ex cīvibus ubi vīdērunt
10 eum, timēbant nē in fossam quae erat sub mūrō caderet.
Sed timor animum eius nōn occupābat. Cōnspectus urbis
enim Humptium magnopere dēlectābat. Ille vir audāx dum
omnia longē lātēque prōspicit, subitō puellam fōrmōsissi-
mam ex portā mūrī ēgredientem cōnspicātus est. Multa
15 dē puellīs Gallicīs audīverat. Quā dē causā nē haec puella
ē cōnspectū celerius abīret, caput suum tam cupidē
prōtulit ut dē mūrō in fossam dēcideret. Hōc cāsū terribilī
membra Dumptī alia aliam in partem disiecta sunt. Quā rē
nūntiātā rēx ipse Gallōrum graviter commōtus omnēs
20 peditēs suōs equitēsque ad fossam mīsit quī auxilium
Dumptiō afferrent. Hī virī perītissimī cum membra miserī
Dumptī lātē dispersa coniungere temptārent, hoc perficere
nōn potuērunt.

XXVII. THREE ADVENTURES OF THE ARGONAUTS

65. Attempted Rescue of Hylas

Trēs ex Argonautīs nāve ēgressī in silvam aquae
petendae causā profectī sunt. Quō in numerō erat Hylās
quīdam, puer fōrmā praestantissimā. Quī dum fontem
quaerit, ab Hercule et Polyphēmō, sociīs suīs, paulum
abiit. Nymphae autem quae eam silvam incolēbant, cum   5
puerum vīdissent, eī persuādēre cōnābantur ut sēcum
discēderet. Cum ille fortiter resisteret negāretque sē hoc
factūrum, eum vī abstulērunt.

Intereā Herculēs et Polyphēmus postquam Hylam diū
frūstrā quaesīvērunt, ad lītus rediērunt. Quō cum   10
vēnissent, statim vīdērunt cēterōs Argonautās nāvem
solvisse. Quae cum ita essent, cōnsēdērunt ad nova
cōnsilia ineunda. Certiōrēs nōn factī erant Hylam ā
nymphīs vī ablātum esse. Quī dum in lītore exspectant,
quāsdam nymphās cōnspicātī, magnopere gaudēbant. Sed   15
cum vidērent puerum Hylam ab illīs āvehī, maximō dolōre
affectī sunt. Verēbantur enim nē in aliquod grave perīculum
cecidisset; arbitrābantur autem auxilium sibi quam vēlōcissimē ferendum esse puerī ēripiendī causā. Quā rē cucur-
rērunt ut Hylam ē nymphīs līberārent. Sed Hylās eōs   20
rogāvit nē vī ūterentur. Dīxit autem hās nymphās quae sē
cēpissent tam fōrmōsās esse ut ipse fugere nōn cuperet.

66. Brawl Follows Boxing Match

Argonautae postquam Bīthȳniam attigērunt, ad fīnēs
Bēbrycum nāvem appulērunt. Dum nāve ēgrediuntur,
rēgem ipsum huius regiōnis, quī Amycus vocātus est, ad
lītus cum sociīs dēcurrentem cōnspicātī sunt. Huius rēgis
tanta erat corporis magnitūdō ut omnēs Argonautae prīmō   5
perterrērentur. Rēx autem hūc celerrimē prōgressus,
Iāsonī, Argonautārum ducī, imperāvit ut sē certiōrem
faceret quis ex Argonautīs sēcum pugnīs certāre audēret.
Statim Pollux, vir perītissimus artis pugilandī, dīxit sē
cum rēge certātūrum. Suīs quī circumstābant, "Iste vir,"   10
inquit, "vincendus est. Nisi quis eī resistet, omnēs hī

virī exīstimābunt nōs virtūte carēre." Tum rēgem ipsum
allocūtus, "Cavē," exclāmat, "magne rēx, nē lūmina tua
exstinguam!" Hīs rēbus dictīs circulum in lītore īnscrībī
15 iussit. Cum iam omnia parāta essent, duo adversāriī in
hunc circulum ingrediuntur et sīgnō datō inter sē pugnāre
coepērunt. Diū et ācriter contendēbant. Tandem Pollux,
quod celerior pedum mōtū erat, rēgem manū dextrā tam
validē pulsāvit ut caput eius frangeret. Rēx concidit neque
20 sē tollere poterat. Sed sociī rēgis quī circumstābant, ubi
vīdērunt rēgem suum gravī vulnere cōnfectum esse, īrā
commōtī Pollūcem gladiīs petīvērunt. Tum Argonautae
cum timērent nē Pollux ab hīs barbarīs concīderētur,
armīs correptīs omnēs Bēbrycas in fugam coniēcērunt.

67. Bloody Death of Talus, the Peg Foot

Posteā Argonautae ad īnsulam Crētam nāvigāvērunt.
Quī dum ad lītus appropīnquant, virum ingentem, nōmine
Talum, cōnspexērunt, cuius tōtum corpus ex aere factum
erat. Iste vir, quī sōlus huic īnsulae praeerat, ter in diē
5 eam circumīre solēbat ut omnēs quī in terram nāvibus
ēgredī vellent, hūc adīre prohibēret. Multōs, ut dīcitur,
interfēcerat, quōrum aliōs in ignem coniēcerat, aliōs
calōre corporis suī facile incenderat. Nam ipse vī
ēlectricā ita calidus fierī poterat ut adversāriōs suōs
10 in cinerem redigeret.
Hoc mōnstrum cōnspicātī, Argonautae summō timōre
cōnfectī sunt. Prīmō putābant sibi quam vēlōcissimē
discēdendum esse. At Mēdēa, cum perītissima esset
artis magicae, sciēbat clavum quendam esse in pede
15 mōnstrī; sī quis hunc clavum extrāxisset, Talum brevī
tempore peritūrum esse. Itaque hoc cōnsilium cēpit.
Carmen magicum dulcī vōce cantābat. Hōc audītō Talus
prīmō cōnstitit, deinde somnō oppressus dēcidit. Tum
Argonautae, ē nāve audācter ēgressī, clavum ex pede
20 mōnstrī magnā celeritāte extrāxērunt. Statim Talus omnī
sanguine ēmissō mortuus est.

XXVIII. PYRRHUS AND HIS ELEPHANTS DEFEAT ROMANS

68. Huius magnī imperātōris quī ex Graeciā in Ītaliam
pervēnerat tanta erat auctōritās ut cum lītorī, quod eō
locō erat lātissimum, appropīnquāret, omnēs cīvēs
Tarentīnī ex urbe ēgressī eum eiusque exercitum magnō
clāmōre reciperent. Posteā Pyrrhus cum suīs sociīs   5
Tarentī cōnstitit ut nova cōnsilia inīret. Quī ubi
cognōvit magnās cōpiās peditum cōnscrībendās esse,
prīncipibus Tarentīnīs praecēpit ut quam plūrimōs
mīlitēs cōgerent omniaque quae essent ūsuī bellō
comparārent. Dum haec fīunt, Pūblius Valerius Laevīnus   10
cōnsul cum permagnō exercitū Rōmā ēgressus hūc
contendit ut Pyrrhum dēvinceret omnēsque Tarentīnōs
in servitūtem redigeret. Diū et ācriter pugnātum est.
Tandem vīgintī elephantīs quōs Pyrrhus sēcum in Ītaliam
dūxerat, equī Rōmānōrum perterritī sunt. Quae rēs   15
tantum timōrem tōtī exercituī Rōmānō iniēcit ut omnēs
cōpiae Rōmānae armīs dēpositīs salūtem fugā peterent.
Pyrrhus cum Rōmānōs in fugam coniēcisset, tamen
plūs IV mīlia virōrum āmīsit quī ab mīlitibus Rōmānīs
concīsī erant.   20

XXIX. ST. JEROME AND THE LION

69. Wild Animal Becomes Tame

Quōdam diē ubi beātus Hierōnymus cum frātribus ad
sacram lectiōnem audiendam cōnsēdit, subitō ingēns leō
quī pede vulnerātō graviter labōrābat in monastērium
intrāvit. Quō animālī vīsō omnēs paene frātrēs perterritī
5 fūgērunt. Sed sanctus Hierōnymus cum vidēret leōnem ad
sē pedem vulnerātum extendere, quōsdam ex frātribus
convocāvit quī summam scientiam medicīnae habēbant
eīsque imperāvit ut pedem leōnis aquā lavārent. Quī dum
hoc faciunt lapidem acūtum in pede inclūsum repperērunt.
10 Lapide extrāctō autem leō brevī tempore convaluit. Quī
postquam sēnsit sē pede ūtī posse, tantō gaudiō affectus
est ut cum frātribus manēre nec in silvam redīre cuperet.

70. Lion Put To Work

Sanctus Hierōnymus ubi vīdit hunc leōnem iam
domesticum animal esse factum, magnopere gaudēbat.
Graviter tamen commōtus est quod leō frātribus nūllī ūsuī
erat. "Quod opus," inquit, "nostrō leōnī dabimus ut auxiliō
5 nōbīs sit? Omnibus enim quī in hōc monastēriō habitant
labōrandum est. Labor omnia vincit." Tum ūnus ex
frātribus, "Bene scīs, pater," inquit, "asinum quī ligna
cottīdiē ē silvā portet custōde carēre. Saepe pertimuī nē
quis illum asinum tolleret. Hunc fortissimum leōnem
10 igitur cum asinō ad silvam cottīdiē mittāmus. Asinus
noster ab eō dīligenter dēfēnsus nocte domum salvus
redībit." Hīs rēbus cōnstitūtīs proximō diē asinus leōnem
secūtus ad silvam profectus est. Multōs diēs bonus et
fīdus dēfēnsor erat leō domumque semper cum asinō nocte
15 ad monastērium redībat.

71. Strange Disappearance of Donkey

Quōdam diē tamen leō postquam asinum ad silvam
ēdūxit somnō graviter oppressus est. Eōdem tempore
autem quīdam mercātōrēs per fīnitimam viam prōcēdēbant.
Quī cum asinum sine custōde pāscentem vidērent, praedae

cupiditāte incitātī, eum sēcum abdūxērunt. (Mercātōrēs 5
enim illīus terrae asinīs saepe ūtēbantur ad camēlōs
dūcendōs.) Brevī spatiō intermissō, leō ipse somnō
solūtus nunc hūc nunc illūc cucurrit ut asinum, socium
suum, invenīret. Frūstrā tamen. Istī mercātōrēs enim
quī asinum sustulerant, multa mīlia passuum ab eō locō 10
prōgressī iam iter per fīnēs aliēnōs faciēbant. Leō
igitur, omnī spē asinī reperiendī tandem dēpositā, ad
monastērium sōlus rediit. Quō cum vēnisset, ad portam
cōnstitit nec intrāre ausus est. Nam verēbātur nē frātrēs
sē pūnīrent. 15

72. Evidence Not Clear

Sanctus Hierōnymus autem frātrēsque omnēs cum
leōnem perterritum vidērent, prīmō nōn dubitābant quīn
iste famē incitātus asinum occīdisset. Quā dē causā cibum
cottīdiānum eī dare nōlēbant. "Discēde," inquiunt, "pessime
leō, reliquumque animal tuum cōnsūme." Īrā commōtī 5
frātrēs tamen nesciēbant quā rē asinus cum sociō suō hōrā
solitā nōn redīsset. Brevī tempore igitur ad silvam profectī sunt quō celerius causam huius reī cognōscerent. At
nūllō caedis sīgnō repertō, ad monastērium tandem
rediērunt ut hoc quam celerrimē beātō Hierōnymō 10
nūntiārent. Quī ubi id audīvit, "Vōs hortor, frātrēs," inquit,
"nē leōnem nostrum culpētis. Nōlīte eum expellere, sed
cibō solitō datō, ipse ligna ex silvā cottīdiē reportet."

73. Lion Makes Own Investigation

Itaque multōs diēs leō ipse illud opus libenter perficiēbat.
Dum haec geruntur, tempus advēnit quō istī mercātōrēs
reversūrī erant. Quōdam diē leō opere cōnfectō sub quādam
arbore quae fīnitima erat monastēriō sē quiētī trādiderat.
Subitō tamen somnō solūtus ad silvam quam celerrimē sē 5
recēpit. Hōc ipsō tempore enim sēnsit sē cognitūrum quid
suō sociō accidisset. Quī cum in summum collem
ascendisset, quō ex locō longē lātēque omnia vidēret, brevī
tempore quōsdam hominēs cum camēlīs accēdentēs procul
cōnspexit. Sed ubi hoc agmen propius appropīnquāvit, ipsum 10
asinum, amīcum suum, camēlōs praecēdentem vīdit. Asinō

cognitō, leō saevē rugiēns tam ācrem impetum in
mercātōrēs fēcit ut eōs in fugam coniceret. Quā rē
factā camēlōs, quōs asinus dūcēbat, ante sē ad portam
15 monastērī compulit.

74. Lion Not Guilty

Hoc agmen rīdiculum cōnspicātus, sanctus Hierōnymus
cum mercātōrēs ipsōs nōndum vīdisset, frātribus statim
imperāvit ut haec animālia benignē acciperent eīsque
cibum idōneum praebērent. Cum hoc fieret, leō in omnēs
5 partēs monastērī laetissimē currēbat ut frātribus
dēmōnstrāret sē magnopere gaudēre quod haec rēs tam
fēlīciter ēvēnisset. Quibus rēbus vīsīs omnēs frātrēs
cum nescīrent quis asinum sustulisset, tamen maximō
dolōre affectī sunt quod leōnem iniūstē culpāvissent.
10 Neque dubitābant quīn ille innocēns esset. "Vidēte,"
inquiunt, "pāstōrem nostrum, quem paulō ante inter-
fectōrem crūdēlissimum esse crēdēbāmus!"

75. Arrival of Merchants

Dum haec fīunt, istī mercātōrēs quōs perterritōs leō in
fugam dederat ad portam monastērī pervēnērunt. Nam
cupidī erant camēlōrum recipiendōrum. Sē cum patre
ipsō colloquī velle dīcēbant. Hōc audītō beātus Hierōnymus
5 miserōs mercātōrēs ad sē addūcī iussit. Quī cum illum
virum sanctum vīdissent, sē ad pedēs eius prōiēcērunt.
Tum patrī nārrāvērunt sē asinum sustulisse. Eōdem
tempore rogāvērunt ut venia suae culpae sibi darētur.
Hīs verbīs audītīs pater eōs monuit nē in reliquum
10 tempus aliēnās rēs tollerent. "Deō," inquit, "grātiam
referre dēbētis quod hunc leōnem ferōcissimum effūgistis."
Cum haec dīxisset, iussit eōs cibō reficī, receptīsque
camēlīs, in pāce abīre.

XXX. LOVE IN A TOMB

76. Beside Her Husband's Corpse

Mātrōna quaedam Ephesī erat, tantā pudīcitiā ut
fīnitimārum gentium fēminae ad eam spectandam
venīrent. Haec mātrōna, cum vir mortuus esset, ad
monumenta exiit, etiam in sepulchrum intrāvit corpusque
eius diēs noctēsque custōdīre et flēre coepit. Ita dolōre   5
cōnfecta est ut hōc locō quīnque diēs manēret neque cibum
cōnsūmere vellet. Nōn parentēs, nōn amīcī eam ā
sepulchrō abdūcere potuērunt. Ipsī magistrātūs repulsī
abiērunt. Huic miserae fēminae ūna ancilla fīdissima
erat quae cum dominā in sepulchrō manēbat lūmenque   10
proximum corporī positum, sī exstinctum erat, renovābat.
Hīs rēbus cognitīs omnēs cīvēs negābant sē melius ex-
emplum pudīcitiae et amōris umquam vīdisse. Neque
quisquam dubitābat quīn ista fēmina famē et dolōre mox
perīret.   15

77. A Friend in Need

Dum haec geruntur, imperātor prōvinciae quōsdam
pīrātās in agrō quī proximus erat illī sepulchrō crucibus
affīgī iussit, ut cōnspectus hōrum miserōrum omnibus
dēmōnstrāret maleficia nēminī prōdesse. Proxima nocte
mīles quī crucēs dīligenter custōdiēbat nē quis ad   5
sepultūram corpus dēferret, lūmen inter monumenta
cōnspicātus est. Quī cum cognōscere vellet quid fieret,
in sepulchrum iniit vīsāque pulcherrimā fēminā, prīmō
cōnstitit neque quicquam dīcere potuit. Deinde ubi corpus
virī lacrimāsque fēminae cōnspexit, ita dolōre eius   10
permōtus est ut in sepulchrum cibum vīnumque afferret
et miseram fēminam hortārī inciperet nē persevērāret in
lacrimīs. "Nōs omnēs," inquit, "moriēmur et ad idem
suprēmum domicilium veniēmus." Multa alia dīxit quibus
animī hominum ad sānitātem revocantur. At illa, verbīs   15
eius inaudītīs, vehementius lacrimābat.

78. A Ghastly Courtship

Nōn discessit tamen mīles, sed eādem cohortātiōne
ancillae persuādēre temptāvit ut cibum cōnsūmeret. Quae
cum odōre vīnī incitāta esset, manum suam ad cibum
extendit. Tum cibō vīnōque refecta, dominam hortārī
5 coepit ut idem faceret. "Quid tibi prōderit," inquit, "sī
inopiā cibī perieris? Nōnne cupis vīvere? Corpus virī
tuī tē admonēre dēbet ut vīvās." Hīs verbīs adducta
fēmina sē cibō complēvit.

Proximā nocte mīles quī iam amōre cōnfectus erat,
10 magnā cōpiā dōnōrum comparātā, ad sepulchrum rediit.
Fēmina et quod haec dōna grāta erant et quod ipse mīles
iuvenis pulcherque erat, eum adamāre coepit. Itaque
ancillā dīmissā mīles portam sepulchrī clausit ut omnēs
exīstimārent fēminam super corpus virī suī tandem
15 perīsse. Hīs rēbus cōnfectīs mīles et mātrōna in eō locō
horribilī trēs diēs mānsērunt.

79. One Corpse for Another

Intereā parentēs ūnīus ex pīrātīs quī in crucēs sublātī
erant, cum vidērent custōdem abesse quī mortuīs praefectus esset, corpus fīlī suī dē cruce abstulērunt ut id
clam sepelīrent. Prīmā lūce mīles ē sepulchrō ēgressus,
5 ubi multōs crucem inānem spectantēs vīdit, verērī coepit
nē pūnīrētur. Itaque fēminae quid factum esset magnō
timōre nārrāvit dīxitque melius esse suō gladiō sē
interficere quam iūdicium grave exspectāre. "Īdem locus,"
inquit, "corpus meum et virī tuī continēbit." Sed illa, "Nē
10 deī permittant," inquit, "ut eōdem tempore duōrum mihi
cārissimōrum mortēs videam." Quibus rēbus dictīs, hoc
cōnsilium cēpit. Mīlitī persuāsit ut corpus virī suī ex
sepulchrō sublātum illī crucī quae vacāret statim affīgeret. Hāc rē cōnfectā, mīles cum fēminā, īnsciente
15 imperātōre, in aliēnam terram discessit. Proximō diē
omnēs quī istam crucem vidēbant mīrātī sunt quō modō
mortuus in crucem īsset.

XXXI. ROMAN COURTESY

80. Captured Fiancée Returned to Lover

Carthāgine Novā captā, Scīpiō, dux iuvenis Rōmānōrum,
multōs captīvōs accēpit. In quibus erat quaedam virgō
Hispānica, fōrmā tam pulcherrimā ut quācumque prōcēdēbat oculōs omnium ad sē converteret. Scīpiō ubi
multa de illīus puellae patriā et parentibus rogāvit, eam   5
dēspōnsātam prīncipī Celtibērōrum cognōvit quī Allūcius
appellātus est. Statim igitur Allūciō ad castra vocātō,
"Amīca tua," inquit, "apud mē ita servāta est ut intācta
tibi reddī possit. Prō hōc dōnō id sōlum ab tē petō, ut
amīcus populō Rōmānō sīs. Sī mē virum bonum crēdis   10
esse, scīre dēbēs multōs virōs eādem honestāte esse in
cīvitāte Rōmānā."

81. Spanish Chief Shows Gratitude

Allūcius hīs verbīs permōtus, dextram manum
Scīpiōnis tenēns, grātiās eī dēbitās ēgit prō hōc
praestantissimō dōnō. Posteā parentēs ipsī virginis
convocātī sunt. Quī cum dē Scīpiōnis beneficiō certiōrēs
nōndum factī essent, satis magnam aurī cōpiam ad   5
fīliam līberandam sēcum attulerant. Tamen postquam
cognōvērunt virginem sibi grātīs reddī, Scīpiōnem
rogāre coepērunt ut hoc dōnum ab sē acciperet. At ille
tōtum aurum acceptum pōnī ante suōs pedēs iussit,
vocātōque ad sē Allūciō, "Accipe," inquit, "ab mē hoc   10
dōnum nuptiāle." Tum Allūcium aurum omne tollere et
sēcum auferre iussit. Allūcius hīs dōnīs laetus domum
discessit omnēsque amīcōs suōs laudibus Scīpiōnis
complēvit: vēnisse iuvenem deīs simillimum, omnēs
et armīs et beneficiīs vincentem. Hīs rēbus cōnfectīs   15
Allūcius post paucōs diēs mīlle et quadringentōs
equitēs ad castra Scīpiōnis dūxit quī auxiliō Rōmānīs
essent.

XXXII. FISH LURE

82. A Good Catch

C. Canius, eques Rōmānus, cum Syrācūsās vēnisset,
dīcēbat sē vīllam emere velle quō amīcōs invītāre posset.
Quā rē cognitā, Pȳthius quīdam, mercātor Syrācūsānus,
eī dīxit vēnālem vīllam sē nōn habēre, sed eī permissūrum
5 ut suā vīllā amplissimā ad mare sitā ūterētur. Eōdem
tempore Canium ad cēnam in vīllam invītāvit. Intereā
Pȳthius multitūdinem piscātōrum, quī hās regiōnēs incolēbant, ad sē convocāvit et ab eīs petīvit ut ante suam
vīllam posterō diē piscārentur, dīxitque quid eōs facere
10 vellet. Ad cēnam vēnit Canius. Quī ubi sūmptuōsē
cēnāvit, multitūdinem piscātōrum ante vīllam cōnspexit.
Illī cum nāvēs subdūxissent, multa mīlia piscium ad
pedēs Pȳthī attulērunt.

83. Canius Bites

Canius novitāte reī permōtus, "Quid est hoc, Pȳthī,"
inquit, "tantumne piscium?" Et ille, "Hōc locō," inquit,
"optimī et maximī piscēs capiuntur. Hāc vīllā istī
piscātōrēs carēre nōn possunt." Tum Canius cupiditāte
5 incēnsus Pȳthium vehementer rogāvit ut vīllam sibi
venderet. Ille cum prīmō negāret sē tam optimam
vīllam venditūrum, tandem tamen magnō pretiō eam
Caniō vendidit. Hōc negōtiō cōnfectō, Canius posterō
diē omnēs suōs amīcōs ad vīllam invītāvit. Vēnit ipse
10 mātūre. Piscātōrēs nūllōs videt, nūllōs piscēs.
Agricolam quendam cōnspicātus, "Suntne fēriae
piscātōrum?" inquit. "Nūllae," respondit, "sed hīc
piscārī nūllī solent; itaque herī mīrābar quid accidisset."

NOTES

1

[2] magnam pecūniam, *much money.*
[3] In Britanniae oppidō, *In a town of Britain.* In goes with the abl. oppidō.
[4] In agrōs. Note the difference in meaning between in agrōs and in agrīs.
[7] Equum agricola amat. Let the word endings tell you which word is subject and which is object. What would Equus agricolam amat. mean?
[9] culpās is a verb.
[16] vinō, *with wine,* abl.
[17] male serve is vocative.

2

Sicily at this time was covered with huge estates which were worked by slave lavor. Slaves were imported from the East in great numbers. They were branded and forced to work in chain gangs. Slaves often received cruel and inhuman treatment at the hands of their owners. In 135 B.C. occurred the revolt of 70,000 Sicilian slaves, who captured several towns and set up a government of their own. For three years they successfully resisted the Roman armies sent against them. Finally, however, their power was broken by the might of Rome. Following this defeat a mass crucifixion of the rebel slaves took place.

[2] inopiā, *from lack,* Abl. of Cause.
dominōrum, *owners* (of the slaves).
[3] Iam nōn, *no longer.*
[4] Magnam cōpiam is the object of both verbs in the sentence.
castrīs is dat.
[6] virī malī is nom. pl. in apposition with dominī.

3

2 oppidum Ennam, *the town of Enna*, literally, *the town Enna*. Ennam is in apposition with oppidum.

7 Damophile. What case? Cf. note on paragraph 1, line 17.

8 tē, *you*. Acc. sing. of tū.

9 ad amicōs in oppidum, *to friends in the town*, lit. *to friends into the town.*

4

4 Nostrīne = Nostrī with -ne added to indicate a question. Give special emphasis to Nostrī in your translation.

6 Nōnne expects the answer 'yes'.

5

4 Tū. The nom. of the personal pronouns is used for special emphasis.

complē is imperative. The imperative is used to express an order. The subject of an imperative is 'you'. *You, Mark, fill....* The imperative active of regular verbs is formed as follows:

	Sing.	Pl.
I.	amā	amāte
II.	monē	monēte
III.	pōne	pōnite
	cape	capite
IV.	audī	audīte

8 multa et nova. Omit et in translation.

13 Tū piger es, *You are the lazy one.* The personal pronoun gives special emphasis.

[18] mihi, *to me*, dat. of ego.
[20] Ubi fēminam necāvī, *When I had killed the woman.*
The perfect indicative with ubi should usually be translated as a pluperfect.
[25] mī Samī is vocative. Omit mī in translation.
[31] nōn terrent, nōn terrēbant, ... Sam is giving a synopsis of terreō.
[52] magnā vōce, *in a loud voice.*
[59] Nōs, *We.* Give special emphasis to this word in your translation. Why?
[71] in fugam dedī, *I put to flight.*

6

[8] mīlitēs Rōmānōs is acc. pl.

7

[9] terga vertērunt, *fled,* literally, *turned their backs.*
[14] multā nocte, *late at night.*

8

[1] ubi . . . nāvigāvit, *when he had sailed.*
[9] Mīlites inopiā pecūniae miserī, *The soldiers being unhappy because they had no money,* literally, *The soldiers, unhappy from lack of money.*

9

[1] Proserpina was the patron goddess of Sicily.
[5] Vende, *Sell,* is imperative.

10

[1] statuās is object of both verbs.

12

[1] oppugnābātur, *was being attacked.*

⁵ nōmine. What use of the abl? There are seven different uses of the abl. in paragraph 12. How many of them can you identify?

⁸ Pedīculus. See vocabulary for the pun on the double_meaning of this word.

¹² Ūnus ex, *One of.*

13

⁴ sunt vīsī = vīsī sunt.

⁸ neque ... vīsī sunt, *and were not seen.* A single neque is usually best translated *and ... not.*

¹⁴ Flūmen .... The meter of these two lines is one actually used in Roman days for marching songs:

‿ ∪|‿ ∪|‿ ∪|‿ ∪|‿ ∪|‿ ∪|‿ ∪|‿ ·   These lines may be sung to the tune of "On the Road to Mandalay."

14

¹ Imperātōre. In this story the Imperator is the Roman Emperor.

³ gentēsque = et gentēs. Always translate -que before translating the word to which it is attached.

⁹ in armīs, *under arms.*

15

¹ Imperātōrem salūtāvērunt. It was customary for the gladiators to march into the arena, stop briefly before the emperor who was sitting in a prominent place in the stands, and address him with the dramatic words, "Moritūrī tē salūtant," *"The doomed to die salute thee!"*

² duo ex, *two of.*

¹¹ ferō animālī. Dat. or Abl.?

mī. Omit in translating.

16

⁴ Quī ubi, *When he.* The relative, quī quae quod, standing first in a sentence should usually be translated as is ea id. It refers to a word in the pre-

ceding sentence. Quī thus used is called the
Connecting Relative.

⁵ et ... et, *both ... and.* The first et may often
be omitted in translating.

⁶ Quam ob causam, *For this reason.* Another
example of the Connecting Relative.

¹³ eadem, *the same (things),* is neuter pl.

17

³ delphīnī. Dolphins, like porpoises, are fast-
swimming sea animals. They are often seen leaping
about the prows of ocean liners. Some attain a length
of twelve feet.

⁷ Quī. Notice the relative standing first in its
sentence. How is it translated? Cf. note on paragraph 16, line 4.

18

² Iuppiter is Jupiter, king of gods and men. He
is represented here as god of thunder and lightning.

³ Olympō. The Greeks believed that the home of
the gods was on the summit of Mt. Olympus in Greece.

⁵ Iovem. Iuppiter is declined thus: Iuppiter,
Iovis, Iovī, Iovem, Iove. This accounts for the fact
that in English, Jupiter is often called Jove.

⁶ currū aerātō ... vehēbatur, *rode in a bronze
chariot,* literally, *was carried by a bronze chariot.*

⁷ facēs are *lighted torches,* thrown by Salmoneus
to imitate Jove's lightning.

in cīvēs, *at the citizens.*

⁹ aliī aliam in partem, *some in one direction,
some in another.*

19

¹ Quis ... Quī ... Quid, are interrogatives.
Which one is the interrogative adjective? Which are
interrogative pronouns?

⁴ Is quī, *He who.*

[14] **Fulmina quī iaciunt ...** Supply **ei** before **qui**. *Those who throw....* This line is in a meter called the dactylic hexameter, a very majestic form of verse, befitting the pompous character (in this story) of the king of the gods. Notice the play on words in **fulmina** and **flūmina**.

20

[6] **rūrī**, *in the country*, is locative.
[11] **Ex quibus**. This is the Connecting Relative following a preposition.
[13] **vigilum**. The **vigilēs** were firemen. The city of Rome had a very inefficient fire department in ancient times.
[15] **nihil reliquī**, *nothing left*. **Reliquī** is Partitive Genitive.
[16] **prō eā**, *for it*, i.e. the house.
[18] **in quōdam librō**, *in a book*. **Quidam** is often translated *a*. In signing the book, the owner has relinquished all property rights in the burning building.
[20] **Crassō erunt**, *Crassus will own*, literally, *will be to Crassus*. **Crassō** is Dative of Possessor.

21

[5] **pretiō** is Abl. of Price.
[9] **loca inferna**, *Hell*.

22

Paragraphs 22-26 retell the story as found in Virgil's Aeneid, XI, 535, ff.

23

[7] **Tēla manū ...** is a line quoted (with a slight change) from Virgil's Aeneid, XI, 578.
[17] **obsidēre**, *seek* or *go after*, literally, *besiege*.

24

1 ingentī magnitūdine, *of huge size.* Abl. of Description.
6 Quā dē causā, *For this reason.*
9 quod, *because.*
reliquās. Notice the gender.

25

2 maxima, *very large.*
13 īnstrūctae erant, *were equipped.*

26

1 in medium proelium, *into the middle of the battle.*
9 praedam is in apposition with arma.
11 dum haec geruntur, *while this was going on.* The present indicative with dum is usually translated as an imperfect.
13 petīvit, *attacked.*
16 dē summō monte, *from the top of the mountain.*
17 nymphīs, *nymphs,* nature divinities inhabiting streams, groves, and mountains.

27

Paragraphs 27-32 retell the story as found in Livy II, 48.-50.
2 In quibus, *Among these.*
3 suīs, *their own,* i.e., the Romans'. This word is reflexive.
4 eōrum, *their,* i.e., their enemy's. This word is non-reflexive.
6 Vēiī is the plural name of a city.

28

2 gēns Fabia. The Roman gēns, or clan, developed from the family. It was composed of all descendants in the male line of a single ancestor. The Fabian clan was a famous one, containing some of the most illustrious names in Roman history.

4 Patrēs, *senators.*
7 urbe Rōmā, *from the city of Rome.* Roma is in apposition with urbe.
13 plūrimum possunt, *are most powerful.*

29

1 Instrūctī, *(having been) equipped,* a perfect passive participle agreeing with Fabiī. Translate Fabiī first, and then the participle.
9 pedibus. What kind of abl.?
10 flūmine Tiberī. What kind of abl.?
11 castellum mūnīre, *to build a fort.*
12 factī, a perfect passive participle, as in line 1. It agrees with Vēientēs. Be sure to translate Vēientēs first, then factī.
14 superātī sunt, *were surpassed.*
16 Vēientēs is the direct obj. of coniēcērunt. Aliōs agrees with Vēientēs.

30

2 cōnfectī is a perfect passive participle. With what word does it agree?

31

2 postquam ... collocāvērunt, *after they had placed.* The perfect indicative with postquam should usually be translated as a pluperfect. What other word with the perfect indicative is translated as a pluperfect? Cf. note on paragraph 5, line 20.

32

5 omnēs, *all of them.* This word is placed in an emphatic position. Try to give it emphasis in your translation.

33

The Gladiatorial War broke out in 73 B.C.

[4] duce Spartacō, *under the leadership of Spartacus,* literally, *Spartacus being leader.* An Abl. Absolute with the non-existent present participle of sum to be supplied.

[5] castrīs positīs, *after pitching camp.* Ablative Absolute.

[6] permōtī, *since they were aroused.* Try to translate participles as clauses.

[13] circumventum occīdit, *surrounded and killed.*

34

[1] Hīs gladiātōribus ... lacessentibus, *While these gladiators ... were attacking ...,* literally, *While these gladiators ... attacking ... .* An Abl. Absolute with the present participle may be translated literally by the formula, 'With ... -ing,' but English usually requires that it be expanded into a clause.

[11] oppugnātus, *although assailed.* A participle should be translated by a concessive (although) clause when tamen, *nevertheless,* is found in the main clause.

35

[1] SPQR, pronounced Es, Pay, Coo, Ehr. These letters stood for Senātus Populusque Rōmānus.

[2] Mārcus Laevinus et Sociī, *Mark Levine & Co.*

[17] gravissimī, *dignified.*

[20] spērant sē ... esse vīsūrōs, *hope they will see ...* An Indirect Statement with infinitive and subject accusative.

[30] vir ille, *that famous man.*

[31] Dīc is an imperative. The imperatives singular of dīcō, dūcō, faciō, and ferō omit the final -e.

[35] Exīstimō eum īrātum esse is an Indirect Statement.

[36] vidētur, *seems.* The passive of videō often has this meaning.

36

[8] Sī quis, *If anyone.* Remember that after sī,

nisi, num and nē, every ali- drops away from the in-
definites aliquis and aliquī.
²² Sublātī sunt, from tollō.
²⁶ Gallia est.... Caesar is quoting the first
line of his Dē Bellō Gallicō.
    omnis, *as a whole.*

37

³ neque, *and ... not.*
¹⁵ Ecce Caesar.... The meter, as in paragraph 13,
is one used in Roman marching songs.
²⁸ quandam, *a*
³³ Rōmae is locative.

38

² puer, *as a boy.*
³ Multīs ante annīs, *Many years before.*
⁶ XIX annōs nātus, *nineteen years of age,* literally, *having been born nineteen years.*
¹⁷ Quā rē, *For this reason,* literally, *On account
of this thing.*

39

⁵ ignēs, *bonfires.*
¹⁸ Sī quis, *If anyone.* Cf. note on paragraph 36,
line 8.

40

² Sua quemque virtūs sustinuit, *Each man was sustained by his own courage,* literally, *His own
courage sustained each man.*
⁷ ā dextrā parte, *on the right.*
¹² linguā is ablative with ūtor, one of the five
deponents (ūtor, fruor, fungor, potior, vescor) used
with the ablative.
    tibi is dative with noceō. Dative with Special
Verbs.

19 oppidō. What case and why?
20 parvula, *little girl.*

41

3 lēgātō occīsō, multīs vulnerātīs. Translate these Ablative Absolutes as concessive (although) clauses. Why? Cf. note on paragraph 34, line 11.
7 Antōniō ... pugnantī ... redībat. *While Tony was fighting ... a vision ... came to his mind.* literally, *A vision ... returned to the mind to Tony while fighting... .* Antōniō is Dative of Reference.

42

5 vinciēbat is from vinciō -īre, *bind.*
24 nigrīs, *dark.*

43

3 Tūne ... cantābās?, *Was that you singing?*
6 illā ... accēdente, *as she approached.* Abl. Absolute with present participle. How literally? Cf. note on paragraph 34, line 1.
7 Quid agis, dulcissima?, *How are you, sweetie?*
17 factūrum is a future participle.
22 amōre cōnfectus, *burning with love,* literally, *consumed by love.*
28 abhinc, *ago.*

44

3 ut ... possent is a Result Clause. Remember that ita, sīc, tam, or tantus often precede a Result Clause.
12 dederis is future perfect, but should be translated as a future.

45

2 intellegeret. Why subjunctive?

[4] Ad multam noctem, *Until late at night.*

[5] nē quis, *that no one,* literally, *that not anyone.* When does the indefinite aliquis become quis? Cf. note on paragraph 36, line 8.

[8] occiduntur is Historical Present and should be translated as a past tense. The same is true of fugiunt in line 9.

46

For a poetical account of this legend read Macaulay's The Battle of the Lake Regillus.

[1] dictātor. In times of great danger the Romans chose a dictator, who was supreme commander for a period of six months.

[8] Castor and Pollux, the great twin brothers of Roman legend, were patron gods of athletes, soldiers, and sailors.

[18] quī ... cōnsequerentur, *to overtake.* Relative Clause of Purpose.

47

[10] facerent. Why subjunctive?

[13] nisi, *except.*

48

The story given in paragraphs 48-50 is adapted from Nepos, Hannibal, 10 and 11.

[3] timēbāt nē. After verbs of fearing the meanings of ut and nē are reversed.

49

[1] cum should be translated *although* when tamen stands in the main clause.

[5] petere, *seek* (not *attack*).

[9] cōnsiliō cognitō. Translate this Abl. Absolute as an 'if' clause.

[10] nisi, Cf. note on paragraph 47, line 13.

50

[3] petīvērunt, *attacked.*
[12] castra nautica, *naval base.*

51

[9] Imperātor, *the Emperor.*

52

This story is adapted from Frontinus, Stratēgēmatica,
I, 11.
[5] suōs ... Īnstrūctōs ... iussit, *drew up his men
and ordered them ... .*
[8] Plūtōnī. Pluto was King of the Lower World.
   aliquid novī, *something new,* literally, *something of new.* Novī is a Partitive Genitive.
[11] quī ... prōveherētur is a Relative Clause of
Purpose connected by et with a second Relative Clause
of Purpose, (quī) ... cohortārētur, *in order that ...
he might ride forward and addressing Pericles ...
(that he might) encourage (him).* ... Periclem is the
object of both appellāns and cohortārētur. Appellāns
agrees with quī.
[17] hōc locō, *in this place.* Place Where with locus
often omits in.

53

[6] Magnā Mātre Deōrum. The Great Mother of the
Gods was Cybele, an Eastern divinity. When their own
gods seemed to prove ineffectual, the Romans did not
hesitate to import foreign ones.

54

[5] Virginum Vestālium. The Vestal Virgins were a
group of six priestesses connected with the Roman
state religion.
[10] cōnstitit, *grounded.*
[11] fūne alligātō, *with an attached rope.*

55

¹⁰ quō omnēs sciant, *that all may know,* literally,
by which all may know. Relative Clause of Purpose.
¹¹ fūnem refers to the rope which was attached to
the ship.
¹⁵ Quae refers to the statue.

56

The story given in paragraphs 56-59 was originally
told in Old French by an unknown writer of the
thirteenth century. It is one of the countless
legends of the miracles of Our Lady which have come
down to us from the Middle Ages. Several modern
writers have made use of the legend. Massenet used
it as the plot for an opera called Le Jongleur de
Nôtre Dame, and Anatole France based a famous short
story upon it.
⁸ āera is acc. sing.
⁹ dēlectāret. Why subjunctive?
¹⁰ ad vītam sustinendam, *to sustain life,* literally,
for sustaining life. Ad with the acc. of the gerund
or gerundive may always be literally translated by the
formula, 'for ... -ing.'

57

¹ Clāra Vallis, *Clairvaux,* the famous Cistercian
abbey in France.
² Sanctus Bernardus is St. Bernard of Clairvaux
(1091 - 1153 A.D.)
¹² hārum rērum imperitus, *unskilled in these things.*
Peritus and imperitus are used with the genitive.

58

¹⁰ ad dextram. Supply partem, *to the right (part).*
¹¹ id quod, *a trick which.*

⁴ nē quid malī, *in order that nothing bad*,
literally, *nothing of bad.* Malī is Partitive Gen.
⁹ quod optimum, *the best thing which.*
¹³ Eī ... erat in animō, *He intended*, literally,
It was in mind to him.

This tale was told by Salimbene, a Franciscan, a
lively chronicler of the thirteenth century. The
version here given is somewhat simplified.
⁵ Bonōniam, *Bologna*, an Italian city with a
famous university to which medieval students came
from all over Europe.
    Veniat, *let him come.* Hortatory Subjunctive.
⁶ Nōlīte morārī, *Do not delay*, literally, *Be
unwilling to delay.* Negative commands in the second
person are regularly expressed by nōlī (sing.) or
nōlīte (pl.) and the infinitive.
¹¹ quae sē portāret, *to carry them.* Why is
portāret subjunctive?

⁷ iacēns is from iaceō (not iaciō).

Lurid tales of humans who had the power to become
wolves were common in Europe from early times. The
story told in paragraphs 62 and 63 is adapted from
Petronius, Satyricōn, 61, 62.
⁹ vīrium is from vīs.
¹⁰ causā, *for the sake of*, always follows its
genitive.
¹² Nōlī. Cf. note on paragraph 60, line 6.

68

63

[6] Sī ... vēnissēs ... attulissēs, *If you had come ... you would have brought ...* . A Past Contrary to Fact Condition.

[10] amplius, *wider*, i.e., with amazement.

[15] versipellem, *a werewolf*, literally, *a hide changer.*

[16] nōn sī, *no, not if.*

64

[16] celerius, *too quickly.*

65

The Argonauts were a mythological band of Heroes who set out under the leadership of Jason to find the Golden Fleece. They had many exciting adventures before their mission was completed. Many legends grew up around this famous expedition.

[2] causā. Cf. note on paragraph 62, line 10.

[5] Nymphae, *nymphs.* Cf. note on paragraph 26, line 17.

[12] Quae cum ita essent, *Therefore,* literally, *Since these things were thus.*

[18] auxilium sibi ... ferendum esse, *that they ought to help,* literally, *that help ought to be brought by them.* The gerundive with forms of sum expresses necessity. This construction is called the Passive Periphrastic. The Agent (person by whom) is usually dative, as sibi.

[21] quae sē cēpissent. A subordinate clause in an Indirect Statement usually has its verb in the subjunctive.

66

[2] Dum nāve ēgrediuntur, *While they were disembarking.* Cf. note on paragraph 26, line 11.

[8] pugnīs is from pugnus, *fist.*

⁹ perītissimus artis pugilandī, *highly skilled in the art of boxing*. Note the genitive (artis) with perītus.
¹³ lūmina, *eyes*.

67

⁶ ut with the indicative usually means 'as'.
¹² sibi ... 'iscēdendum esse, *that they ought to leave*, literally *that it ought to be left by them*. With intransitive ⁊rbs the Passive Periphrastic is used impersonally. 'hat case is sibi? Cf. note on paragraph 65, line 1&
¹⁵ sī quis ... extr〉 'isset, Talum ... moritūrum esse, *if anyone should (' the future) remove ...*, *Talus would die...* . The 'uperfect Subjunctive with sī has this future meaning ∖ enever a future infinitive is found in the sent 〉ce.

68

² [ut (cum lītori {quod ... era∖ lātissimum} appropīnquāret) omnēs ... reciperent} Notice how the subordinate clauses in this sentence a⅂ inter-locked.
⁶ Tarentī is locative.
¹⁹ plūs, *more than*.

69

The story told in paragraphs 69-75 is one of the countless Medieval miracle tales about wild animals. The author is unknown.
¹ Hierōnymus is St. Jerome (340 - 420 A.D.).

70

⁸ portet. Why subjunctive?

71

⁵ Mercātōrēs ... asinīs ... ūtēbantur ad camēlōs dūcendōs. A donkey was tied to the lead camel by a rope, and so led the caravan.

72

[2] nōn dubitābant quīn, *did not doubt that.* Quīn
with the subjunctive is used after negative verbs of
doubting.

[8] quō celerius ... cognōscerent. In Purpose
Clauses, quō often replaces ut when the clause con-
tains a comparative.

73

[3] reversūrī erant, *were due to return.*
[8] vidēret. Why subjunctive?

74

[9] quod ... culpāvissent, *because (as they thought)
they had blamed.* The subjunctive is used in quod
(because) clauses which imply that the reason given
is that of someone in the story, not that of the
author.

75

[3] patre. St. Jerome is meant.

76

The story told in paragraphs 76-79 is adapted from
Petronius, Satyricōn, 111.
[1] tantā pudīcitiā is Ablative of Description.
[3] vir, *her husband.*
[4] monumenta, *cemetery.*
[7] nōn ... nōn, *neither ... nor.*
[15] perīret, *would die.*

77

[1] imperātor here means *ruler* or *governor.*
[2] crucibus. Dative with a compounded verb.
Nēminī in line 4 is dative for the same reason.

12 perseverāret in lacrimīs, *continue to weep.*
15 hominum, *men,* i.e., mankind
16 vehementius, *more copiously.*

78

5 Quid tibi proderit? *What good will it do you?*
Why is tibi dative?

79

9 Nē deī permittant, *May the gods not allow.* The
subjunctive used in a wish is negatived by nē.

80

The story told in paragraphs 80 and 81 is adapted from
Livy, XXVI, 50.
1 Carthāgine Novā. New Carthage was a city in
Spain, captured by the Romans in 210 B.C.
Scīpiō. This is Scipio Africanus the Younger.
8 apud, *by.*

81

4 cum, *since.*
7 grātis is an adverb.
8 hoc dōnum, *this as a gift.*
14 vēnisse. Infinitive of Indirect Statement with
introducing verb of saying to be supplied. The pre-
ceding clause states that Allucius spoke to his
friends in praise of Scipio; the Indirect Statement
tells what he said.

82

The story told in paragraphs 82 and 83 is adapted from
Cicero, Dē Officiis, III, 14.
1 eques. The Roman equitēs, *knights,* were the
class of well-to-do business men.

83

[1] Quid est hoc ... tantumne piscium? *What is the meaning of so many fish?*

[4] carēre, *get along without.*

[7] magnō pretiō is Abl. of Price.

[11] Suntne fēriae piscātōrum? *Is this a fisherman's holiday?*

[12] Nūllae, *No.*

VOCABULARY

A

ab or ā (prep. w. abl.) from, away from; by
abbās, abbātis, m. abbot (head of an ecclesiastical organization)
abdūcō-ere, -dūxī, -ductus, lead away
abeō-īre, -iī, -itūrus, go away, depart
abhinc, ago
absum, abesse, āfuī, afutūrus, be distant
accēdō-ere, -cessī, -cessūrus, approach, come near; go to
accidō-ere, accidī, —— , happen
accipiō-ere, -cēpī, -ceptus, receive, accept
Accus-ī, m. name of a Roman gladiator
ācer, ācris, ācre, keen, sharp; shrewd; eager; fierce
aciēs-ēī, f. battle line
ācriter (adv.) eagerly, fiercely, sharply; (comp.) ācrius; (sup.) ācerrimē
acūtus-a-um, sharp
ad (prep. w. acc.) to, toward; near; for
adamō, 1, fall in love with
addūcō-ere, -dūxī, -ductus, lead, influence
adeō-īre, -iī, -itum, approach
admīrātiō-ōnis, f. admiration, wonder
admittō-ere, -mīsī, -missus, admit, let in
admoneō-ēre, -monuī, -monitus, incite, stir up
adōrnō, 1, decorate, adorn, do
adōrō, 1, reverence, worship
adsum-esse, -fuī, -futūrus, be at hand, be near
adveniō-īre, -vēnī, -ventum, come to, arrive, reach
adventus-ūs, m. arrival, coming
adversārius-ī, m. adversary, opponent
aedificium-ī, n. building
aedificō, 1, build
Aenēās-ae, m. name of a famous Trojan hero, founder of the Roman race
Aequī-ōrum, m. a warlike people of ancient Italy
āēr, āeris, m. air. (acc. sing.) āera
aerātus-a-um, made of bronze
āeroplāna-ae, f. airplane
aes, aeris, n. bronze
aestās-ātis, f. summer
afferō-ferre, attulī, allātus, bring
afficiō-ere, -fēcī, -fectus, affect
affīgō-ere, -fīxī, -fīxus, fasten, nail
ager, agrī, m. field
agmen-inis, n. line, column; prīmum agmen, the van, (front part of a marching column)
agō-ere, ēgī, āctus, drive; spend; quid agis? how are you?
agricola-ae, m. farmer
albus-a-um, white
aliēnus-a-um, foreign; other people's
aliquī, aliqua, aliquod (indef. adj.) some; any
aliquis, aliquid (indef. pron.) someone, something, anyone, anything
alius, alia, aliud, other, another; aliī . . . . aliī, some . . . . others; aliī aliam in partem, some in one direction, some in another
alligō, 1, bind, tie to
alloquor-ī, -locūtus, address, talk to
Allūcius-ī, m. name of a Spanish chief
altāre, altāris, n. altar
alter-era-erum, the other (of two); alter . . . . alter, one . . . . the other
altitūdō-inis, f. height; depth
altus-a-um, high; deep
amāns, amantis, m. and f. a lover
Amāzones-onum, f. the Amazons (a group of warlike women)
America-ae, f. America (the U.S.A.)
Americānus-a-um, American
amīca-ae, f. (girl) friend
amīcus-a-um, friendly

amīcus-ī, m. friend
āmittō-ere, -mīsī, -missus, lose
amō, 1, love
amor-ōris, m. love
amplius (adv.) more; wider
amplus-a-um, large, extensive; splendid
Amycus-ī, m. name of an Asiatic king
ancilla-ae, f. maid servant
angustus-a-um, narrow
animal-ālis, n. animal
animus-ī, m. spirit, courage; mind; soul
annus-ī, m. year
ante (prep. w. acc. and adv.) before; ago
anteā (adv.) before
antīquus-a-um, ancient
Antōnius-ī, m. a Roman name (shorter form, Tōnius); Antōnius Martīnus,
    Tony Martini, (a soldier in World War II)
ānulus-ī, m. ring
aperiō-īre, aperuī, apertus, open
appellō, 1, call, name, address
appellō-ere, -pulī, -pulsus, drive to; nāvem appellere, put in
appropinquō, 1, approach (w. dat. or ad and acc.)
apud (prep. w. acc.) at, near; by
aqua-ae, f. water
arbitror, 1, think, suppose
arbor-oris, f. tree
arcus-ūs, m. bow
ārdeō-ēre, ārsī, ārsūrus, burn, blaze, be on fire
arēna-ae, f. the arena (a place for combats)
Argonautae-ārum, m. the Argonauts (a band of adventurers who sailed with
    Jason on the famous expedition to recover the golden fleece)
Ariōn-onis, m. name of a famous Greek musician
arma-ōrum, n. arms
armō, 1, arm, equip
Arrūns-untis, m. name of an Etruscan warrior
ars, artis, f. art, skill
arx, arcis, f. castle, fortress, citadel; the Capitol (at Rome)
ascendō-ere, ascendī, ascēnsus, climb up
ascrībō-ere, -scrīpsī, -scrīptus, enroll; (in pass.) enlist
Asia-ae, f. Asia
asinus-ī, m. donkey
asper-era-erum, rough, rugged
at, but
Athēniēnsis-is, m. an Athenian
atomicus-a-um, atomic
atque or ac, and
Attalus-ī, m. name of a king of Pergamum
attingō-ere, -tigī, -tāctus, touch at, reach
au, ouch!
auctōritās-ātis, f. authority, influence; reputation; dignity; worth
audācter (adv.) boldly, bravely; (comp.) audācius; (sup.) audācissimē
audāx-ācis, bold
audeō-ēre, ausus, dare
audiō-īre, -īvī, -ītus, hear
audītor-ōris, m. listener
auferō-ferre, abstulī, ablātus, carry off
augeō-ēre, auxī, auctus, increase
Aulus-ī, m. a Roman name
aureus-a-um, of gold, golden
aurum-ī, n. gold
aut . . . . aut, either . . . . or
autem, moreover; now; but, on the other hand
auxilium-ī, n. help, aid

āvehō-ere, -vexī, -vectus, carry off
axis-is, m. axle

B

barbarus-ī, m. barbarian
beātus-a-um, blessed
Bēbrycēs-um, m. an ancient people of Asia Minor
Belga-ae, m. Belgian
bellicōsus-a-um, warlike
bellum-ī, n. war
bene (adv.) well; (comp.) melius; (sup.) optimē
benedīcō-ere, -dīxī, -dictus, bless
beneficium-ī, n. kindness
benignē (adv.) in a friendly manner
Bernardus-ī, m. Saint Bernard
binocula-ōrum, n. binoculars (field glasses)
Bīthȳnia-ae, f. a country in Asia Minor
bomba-ae, f. bomb
Bonōnia-ae, f. Bologna (an Italian city)
bonus-a-um, good; (comp.) melior; (sup.) optimus
brevis-e, short
Britannia-ae, f. Britain

C

C. abbreviation for Gaius (a Roman name)
cadō-ere, cecidī, cāsūrus, fall; die
caedēs-is, f. slaughter
caelum-ī, n. sky; heaven
Caesar, Caesaris, m. Julius Caesar
Caesō-ōnis, m. a Roman name
calamitās-ātis, f. disaster
calidus-a-um, hot
calor-ōris, m. heat
camēlus-ī, m. camel
Camilla-ae, f. an Italian girl (one of the Amazons)
candēla-ae, f. candle
Canius-ī, m. a Roman name
canticum-ī, n. song
cantō, 1, sing
capella-ae, f. chapel
capillus-ī, m. (often pl.) hair
capiō-ere, cēpī, captus, take, seize
captīvus-ī, m. captive
Capua-ae, f. a city in Italy
caput, capitis, n. head
careō-ēre, caruī, caritūrus (w. abl.) lack; do without
carmen-inis, n. song
Carthāginiēnsis-is, m. Carthaginian
Carthāgō-inis, f. Carthage
cārus-a-um, dear
castellum-ī, n. fort; castellum mūnīre, build a fort
Castor-oris, m. twin brother of Pollux
castra-ōrum, n. camp
castus-a-um, chaste, pure
cāsus-ūs, m. fall, accident
Catana-ae, f. a town in Sicily
causa-ae, f. cause, reason; quā dē causā, for this reason; quam ob causam,
    for this reason; causā (following a gen.) for the sake of
caveō-ēre, cāvī, cautus, beware
celebrō, 1, celebrate
celer, celeris, celere, swift
celeritās-ātis, f. speed

celeriter (adv.) quickly, swiftly; (comp.) celerius; (sup.) celerrimē
Celtibērī-ōrum, m. a people of central Spain
cēna-ae, f. dinner
cēnō, 1, dine
certāmen-inis, n. contest
certē (adv.) surely; yes
certō, 1, fight
certus-a-um, certain, fixed; certiōrem facere, inform
cēterī-ae-a, the other, the rest of
Chloreus-ī, m. name of a Trojan priest of Cybele
Chrīstiānus-ī, m. Christian
Chrīstus-ī, m. Christ
cibus-ī, m. food
cinis-eris, m. ashes
circulus-ī, m. circle, ring
circum (prep. w. acc.) around
circumclūdō-ere, -clūsī, -clūsus, enclose, surround
circumeō-īre, -iī, -itum, go around
circumstō-āre, -stetī, ——, stand around
circumveniō-īre, -vēnī, -ventum, come around, surround
cito (adv.) quickly
cīvīlis-e, civil
cīvis, cīvis, m and f. citizen
cīvitās-ātis, f. state
clam (adv.) secretly
clāmō, 1, shout, cry out, call
clāmor-ōris, m. shout
clārus-a-um, distinguished, famous; bright, clear; Clāra Vallis, Clairvaux
    (location of famous Cistercian monastery in France)
Claudia-ae, f. a Roman (woman's) name
claudō-ere, clausī, clausus, close
clavus-ī, m. peg, plug
coepī, coepisse, coeptus, began
cognōscō-ere, -nōvī, -nitus, learn, know, recognize
cōgō-ere, -ēgi, -āctus, collect; compel
cohortātiō-ōnis, f. encouragement
cohortor, 1, encourage
colligō-ere, -lēgī, -lectus, collect, bring together
collis-is, m. hill
collocō, 1, place
colloquor-ī, -locūtus, confer
collum-ī, n. neck
color-ōris, m. color
columna-ae, f. column (of a building)
cōmicus-a-um, comic, funny
committō-ere, -mīsī, -missus, commit, entrust; proelium committere, begin
    battle
commoveō-ēre, -mōvī, -mōtus, disturb, agitate; affect
comparō, 1, get together, prepare
compellō-ere, -pulī, -pulsus, drive
compleō-ēre, -plēvī, -plētus, fill
complūrēs-a, several
concidō-ere, -cidī, ——, fall (to the ground)
concīdō-ere, -cīdī, -cīsus, cut to shreds
cōnferō, -ferre, -tulī, collātus, bring together, collect; bear, bring; sē
    cōnferre, betake oneself, go
cōnficiō-ere, -fēcī, -fectus, finish, complete; exhaust, wear out; consume; kill
cōnfīrmō, 1, strengthen; assert
coniciō-ere, -iēcī, -iectus, throw; in fugam conicere, put to flight
coniungō-ere, -iūnxī, -iūnctus, put together
coniūrātiō-ōnis, f. conspiracy, plot
cōnor, 1, try, attempt
cōnscrībō-ere, -scrīpsī, -scrīptus, enlist, enroll; write

cōnscrīptus-ī, m. one enrolled; used especially in addressing the Roman senate as Patrēs Cōnscrīptī, (Fathers elect) Senators

cōnsequor-ī, -secūtus, pursue; overtake

cōnsīdō-ere, -sēdī, -sessūrus, sit down

cōnsilium-ī, n. plan; advice; cōnsilium capere, form a plan; cōnsilium inīre, form a plan

cōnsistō-ere, -stitī, ——, stand; stop, halt; ground

cōnspectus-ūs, m. sight

cōnspiciō-ere, -spexī, -spectus, see

cōnspicor, 1, catch sight of

cōnstituō-ere, -stituī, -stitūtus, place, set up, establish; decide, determine

cōnsul-ulis, m. consul (one of the chief magistrates at Rome)

cōnsūmō-ere, -sūmpsī, -sūmptus, devour, eat; consume, destroy

contendō-ere, -tendī, -tentum, hasten, hurry; contend, fight

contineō-ēre, -tinuī, -tentus, hold, hold in, contain, keep

contrā (prep. w. acc.) against, contrary to

convalēscō-ere, -valuī, ——, get well

conveniō-īre, -vēnī, -ventum, come together, assemble

convertō-ere, -vertī, -versus, turn, turn around

convocō, 1, call together

cōpia-ae, f. abundance, supply, quantity; (pl.) troops, forces

cornū-ūs, n. wing (of army); horn (of animal)

corpus-oris, n. body, corpse

corripiō-ere, -ripuī, -reptus, snatch up, seize

corvus-ī, m. crow

cottīdiānus-a-um, daily

cottīdiē (adv.) daily

Crassus-ī, m. name of a famous Roman, M. Licinius Crassus, consul (later associated with Caesar and Pompey in the first triumvirate)

crēber-bra-brum, frequent, thick, numerous

crēdō-ere, crēdidī, crēditum (w. dat.) believe, trust

Cremera-ae, f. name of a small river in Etruria

Crēta-ae, f. Crete

crūdēlis-e, cruel

crux, crucis, f. cross

culpa-ae, f. crime

culpō, 1, blame

cum (prep. w. abl.) with; (conj.) when, since, although

cupidē (adv.) eagerly

cupiditās-ātis, f. desire

cupidus-a-um, desirous

cupiō-ere, cupīvī, cupītus, desire, wish

cūr, why

cūra-ae, f. care

cūrō, 1, treat, take care of

currō-ere, cucurrī, cursūrus, run

currus-ūs, m. chariot

custōdiō-īre, custōdiī (-īvī), custōdītus, guard

custōs, custōdis, m. guard, protector

D

Damophilus-ī, m. name of a Sicilian slave owner

dē (prep. w. abl.) down from, from; concerning, about

dea-ae, f. goddess

dēbeō-ēre, dēbuī, dēbitus, ought; owe

decem, ten

dēcidō-ere, -cidī, ——, fall down

dēcīdō-ere, -cīdī, -cīsus, cut off

decimus-a-um, tenth

dēcurrō-ere, -currī, -cursūrus, run down

dēdicō, 1, dedicate

dēfendō-ere, dēfendī, dēfēnsus, defend

dēfēnsor-ōris, m. defender, protector, guard

dēferō, -ferre, -tulī, -lātus, take down; take away
dēiciō-ere, -iēcī, -iectus, throw down; shoot down
deinde (adv.) then
dēlectō, 1, delight, please
dēleō-ēre, dēlēvī, dēlētus, destroy
delphīnus-ī, m. dolphin (an animal of the sea)
dēlūdō-ere, -lūsī, -lūsus, deceive
dēmittō-ere, -mīsī, -missus, send down, let down
dēmōnstrō, 1, show, prove
dēnsus-a-um, thick, dense
dēpellō-ere, -pulī, -pulsus, drive from
dēpōnō-ere, -posuī, -positus, put down; give up
dērīdeō-ēre, -rīsī, -rīsus, laugh at
dēscendō-ere, -scendī, -scēnsus, descend
dēsertus-a-um, deserted, desert, lonely
dēspiciō-ere, -spexī, -spectus, look down (at)
dēspōnsātus-a-um, engaged
Deus, Deī, God
dēvincō-ere, -vīcī, -victus, defeat decisively; crush
dexter-tra-trum, right (hand)
Diāna-ae, f. name of the virgin goddess of music, of the moon, of the woods,
    and the hunt
dīcō-ere, dīxī, dictus, say, tell
dictātor-ōris, m. dictator
diēs-ēī, m. and f. day
difficilis-e, difficult
dīligenter (adv.) carefully
dīligentia-ae, f. diligence, care
dīmicō, 1, fight
dīmittō-ere, -mīsī, -missus, send away
dīrigo-ere, -rēxī, -rēctus, aim; shoot
discēdō-ere, -cessī, -cessūrus, depart, go away
disiciō-ere, -iēcī, -iectus, scatter
dispergō-ere, -persī, -persus, scatter about
dissimilis-e, unlike
diū (adv.) for a long time
dīvīdō-ere, dīvīsī, dīvīsus, divide, separate
dīvīnus-a-um, divine
dō, dare, dedī, datus, give; in fugam dare, put to flight
dolor-ōris, m. grief, sorrow
domesticus-a-um, domestic
domicilium-ī, n. house
domina-ae, f. mistress, lady
dominus-ī, m. master, owner
domus-ūs, f. house, home
dōnum-ī, n. gift
dormiō-īre, dormīvī (-iī), dormītum, sleep
dubitō, 1, doubt; hesitate
dūcō-ere, dūxī, ductus, lead
dulcis-e, sweet
dulciter (adv.) sweetly
dum, while
duo, duae, duo, two
duodecim, twelve
dux, ducis, m. leader, general

E

ē or ex (prep. w. abl.) out of, from, out from; of
ecce, look! look at! look, here is!
ēdūcō-ere, -dūxī, -ductus, lead out, lead forth, draw
effugiō-ere, -fūgī, ——— , escape
ego, meī, I
ēgredior-ī, -gressus, go out; disembark

ēiciō-ere, -iēcī, -iectus, throw out, eject
ēlectricus-a-um, electric
elephantus-ī, m. elephant
ēmittō-ere, -mīsī, -missus, send out, let out, emit; let go, hurl
emō-ere, ēmī, ēmptus, buy
enim, for
Enna-ae, f. name of a town in Sicily
eō, īre, iī (īvī), itūrus, go
Ephesus-ī, f. name of a city in Asia Minor
epistula-ae, f. letter
eques, equitis, m. horseman; knight; (pl.) cavalry
equus-ī, m. horse
ēripiō-ere, -ripuī, -reptus, snatch; save
ēruptiō-ōnis, f. sortie, sally, attack
et, and; et . . . . et, both . . . . and
etiam, even; also
Eumenēs-is, m. name of a king of Pergamum
Eurōpa-ae, f. Europe
ēveniō-īre, -vēnī, -ventum, come out, turn out, happen
ēventus-ūs, m. outcome
ex or ē (prep. w. abl.) out of, from, out from; of
exclāmō, 1, exclaim
exemplum-ī, n. example
exeō-īre, -iī, -itūrus, go out
exercitō, 1, train
exercitus-ūs, m. army
exīstimō, 1, think, believe
exitus-ūs, m. end
expellō-ere, -pulī, -pulsus, drive out, expel
explōrātor-ōris, m. scout
expugnō, 1, capture, take by storm
exsilium-ī, n. exile
exspectātiō-ōnis, f. expectation
exspectō, 1, wait; await, wait for
exstinguō-ere, -stinxī, -stinctus, put out, extinguish
extendō-ere, -tendī, -tentus (-tēnsus), hold out, extend
extrā (prep. w. acc.) outside
extrahō-ere, trāxī, -trāctus, draw out, extract, remove; free

F

Fabius-a-um, Fabian; one of the Fabiī (a famous Roman clan)
fabricātor-ōris, m. manufacturer
fābula-ae, f. story
facilis-e, easy; facile (adv.) easily
faciō-ere, fēcī, factus, make; do; proelium facere, fight a battle
factum-ī, n. deed
famēs-is, f. hunger
fax, facis, f. torch
fēlīciter (adv.) luckily, fortunately
fēmina-ae, f. woman
fēriae-arum, f. holidays
ferō, ferre, tulī, lātus, bring, carry
ferōx-ōcis, fierce, savage
ferus-a-um, cruel, fierce
fīdus-a-um, faithful, trusty
fīlia-ae, f. daughter
fīlius-ī, m. son
fīnis-is, m. end; (pl.) territory, country
fīnitimus-a-um, nearby, near
fīō, fierī, factus, be made; be done; become; happen
flamma-ae, f. flame
flectō-ere, flexī, flexus, bend
fleō-ēre, flēvī, flētus, weep, bewail

flūmen-inis, n. river
fōns, fontis, m. spring (of water)
fōrma-ae, f. shape; beauty
fōrmōsus-a-um, shapely; beautiful
fortasse (adv.) perhaps
fortis-e, brave
fortiter (adv.) bravely
forum-ī, n. the Roman Forum; market place
fossa-ae, f. ditch, trench
frangō-ere, frēgī, frāctus, break
frāter-tris, m. brother
frūmentum-ī, n. grain
frūstrā (adv.) in vain
fuga-ae, f. flight; in fugam dare (or conicere) put to flight
fugiō-ere, fūgī, ——— , flee
fulmen-inis, n. thunderbold
fūnis-is, m. rope

G

galea-ae, f. helmet
Gallia-ae, f. Gaul (modern France)
Gallicē (adv.) in Gallic, in the Gallic language
Gallicus-a-um, Gallic, French
Gallus-ī, m. a Gaul
gaudeō-ēre, gāvīsus, rejoice
gaudium-ī, n. joy
geminus-a-um, twin
gemma-ae, f. precious stone, gem, jewel
gēns, gentis, f. tribe, clan; nation
genū-ūs, n. knee
genus-eris, n. kind, class; family; descent
Germānī-ōrum, m. the Germans
Germānicus-a-um, German
gerō-ere, gessī, gestus, carry on; carry; wear; (pass.) go on, take place
gladiātor-ōris, m. gladiator
gladiātōrius-a-um, gladiatorial
gladius-ī, m. sword
glōria-ae, f. glory
gracilis-e, slender
Graecia-ae, f. Greece
Graecus-a-um, Greek, Grecian
Graecus-ī, m. a Greek
grātia-ae, f. grace; grātiam referre, give thanks; grātiās agere, give thanks
grātīs (adv.) without charge
grātus-a-um, pleasing
gravis-e, heavy; serious, grave; venerable
graviter (adv.) seriously, deeply, greatly
Gregōrius-ī, m. Gregory

H

Ha! Ha! He!,Ha! Ha! Ha!
habeō-ēre, habuī, habitus, have
habitō, 1, live
Hannibal-alis, m. Hannibal (the famous Carthaginian general)
Herculēs-is, m. name of the famous Greek hero
herī (adv.) yesterday
hīc (adv.) here, in this place
hīc, haec, hoc, this; he, she, it
hiems, hiemis, f. winter
Hierōnymus-ī, m. Saint Jerome
Hispānicus-a-um, Spanish
hodiē (adv.) today

homō, hominis, m. man
honestās-ātis, m. character, honesty
honor-ōris, m. honor
hōra-ae, f. hour
horribilis-e, horrible
horridus-a-um, frightful
horror-ōris, m. horror, dread
hortor, 1, urge
hospes-itis, m. guest
hospitium-ī, n. inn
hostis-is, m. enemy
hūc (adv.) hither, to this place
hūmānus-a-um, human
Humptius Dumptius, Humptī Dumptī, m. Humpty Dumpty
Hylās, Hylae, m. name of a young Argonaut
hymnus-ī, m. hymn

I

iaceō-ēre, iacuī, —— , lie (prostrate)
iaciō-ere, iēcī, iactus, throw
iam (adv.) now; already; iam nōn, no longer
Iāsōn-onis, m. Jason (leader of the Argonauts)
ibi (adv.) there
īdem, eadem, idem, same
idōneus-a-um, suitable
igitur, therefore
ignis-is, m. fire
ignōrō, 1, not know, be unacquainted with
ille, illa, illud, that; he, she, it; (standing after its noun) that famous
illūc (adv.) thither, to that place
imāgō-inis, f. vision; image
immortālis-e, immortal
impedīmentum-ī, n. hindrance; (pl.) baggage
imperātor-ōris, m. general, commander in chief; ruler; Emperor
imperītus-a-um (w. gen.) unskilled, inexperienced
imperō, 1. (w. dat.) order
impetus-ūs, m. attack
implōrō, 1, call upon (for aid), implore
importō, 1, bring in, import
imprimō-ere, -pressī, -pressus, impress
in (prep. w. abl.) in, on; (prep. w. acc.) into, against
inānis-e, empty
inaudītus-a-um, unheard
incendium-ī, n. fire, conflagration
incendō-ere, -cendī, -cēnsus, set fire to, burn
incestus-a-um, impure, unchaste
incipiō-ere, -cēpī, -ceptus, begin
incitō, 1, arouse, excite, stimulate, stir up, spur on
inclūdō-ere, -clūsī, -clūsus, inclose, imprison; bury
incola-ae, m. inhabitant
incolō-ere, -coluī, —— , inhabit
incrēdibilis-e, incredible
inde (adv.) then; from there
ineō-īre, -iī, -itūrus, enter; begin; cōnsilium inīre, form a plan
īnfāns, īnfantis, m. and f. baby, infant
īnfernus-a-um, lower, underground; infernal; loca īnferna, the lower regions, Hell
īnferus-a-um, below; (comp.) īnferior, lower; (sup.) īnfimus or īmus, lowest
īnfimus-a-um, (see īnferus)
īnfluō-ere, -flūxī, -flūxum, flow into
ingēns, ingentis, huge
ingredior-ī, -gressus, advance
iniciō-ere, -iēcī, -iectus, throw into; cause, produce

inimīcus-a-um, unfriendly
iniūstē (adv.) unjustly
innocēns-entis, innocent
inopia-ae, f. lack
inquam, said I; inquit, said he (or she); inquiunt, said they
īnsānus-a-um, insane
īnsciēns-entis, unaware
īnscrībō-ere, -scrīpsī, -scrīptus, inscribe, mark, write upon
īnsidiae-ārum, f. ambush; plot; treachery
īnstruō-ere, -strūxī, -strūctus, draw up, arrange; equip
īnsula-ae, f. island
intāctus-a-um, untouched, pure
intellegō-ere, intellēxī, intellēctus, understand, learn, know
inter (prep. w. acc.) between, among
intereā (adv.) meanwhile
interfector-ōris, m. killer
interficiō-ere, -fēcī, -fectus, kill
interim (adv.) meanwhile
intermittō-ere, -mīsī, -missus, let pass; (pass.) elapse
intrō, 1, enter
inveniō-īre, -vēnī, -ventus, come upon, find
invertō-ere, -vertī, -versus, turn upside down
invītō, 1, invite
iocor, 1, joke, kid
ioculātor-ōris, m. joker, trickster
iocus-ī, m. joke
Iohannes-is, m. John
ipse, ipsa, ipsum, self; very
īra-ae, f. anger
īrātus-a-um, angry
irrīdeō-ēre, -rīsī, -rīsus, ridicule, make fun of
irrumpō-ere, -rūpī, -ruptus, break into
is, ea, id, this, that; he, she, it
iste, ista, istud, that, that (of yours); he, she, it
ita (adv.) thus, so, in such a way
Ītalia-ae, f. Italy
Ītalicus-a-um, Italian
itaque, and so, therefore
iter, itineris, n. journey, trip; march; road; iter facere, march; travel
iubeō-ēre, iussī, iussus, order
iūdicium-ī, n. trial
Iūlius-ī, m. July (the month)
Iuppiter, Iovis, m. Jupiter (king of gods)
iuvenis-e, young
iuvenis-is, m. young man

L

labor-ōris, m. toil, labor; hardship
labōrō, 1, work; suffer
lacessō-ere, lacessīvī, lacessītus, attack, harass
lacrima-ae, f. tear
lacrimō, 1, weep
lacus-ūs, m. lake
laetus-a-um, happy
Laevīnus-ī, m. (1) Mark Levine (a statue merchant) (2) Pūblius Valerius
    Laevīnus, (a Roman consul)
lapideus-a-um, petrified, stone
lapis-idis, m. stone
lātē (adv.) widely, extensively; longē lātēque, far and wide
Latīnī-ōrum, m. the Latins (inhabitants of Latium)
Latīnus-a-um, Latin
lātus-a-um, wide, broad
laudō, 1, praise

laus, laudis, f. praise
lavō, 1, wash, bathe
lectiō-ōnis, f. reading
lectus-ī, m. bed
lēgātus-ī, m. ambassador; lieutenant
legiō-ōnis, f. legion
leō-ōnis, m. lion
libenter (adv.) gladly, cheerfully
liber, librī, m. book
līber-era-erum, free
līberī-ōrum, m. children
līberō, 1, free, set free
lībertās-ātis, f. liberty
lignum-ī, n. firewood (usually pl.)
lingua-ae, f. language
littera-ae, f. letter (of the alphabet)
lītus-oris, n. shore
locus-ī, m. place; (pl.) loca-ōrum, n.
longē (adv.) far; longē lātēque, far and wide
longus-a-um, long
Loquāx-ācis, m. Lūcius Loquāx (a radio commentator)
loquor-ī, locūtus, talk
lūceō-ēre, lūxī, ——— , shine
lūmen-inis, n. light; lamp; eye
lūna-ae, f. moon
lupus-ī, m. wolf
Lutetia-ae, f. Paris (the city)
lūx, lūcis, f. light; prīmā lūce, at dawn

M

magicus-a-um, magical
magis (adv., comp. of multum) more
magistrātus-ūs, m. magistrate, town official
magnitūdō-dinis, f. size
magnopere (adv.) greatly
magnus-a-um, large, great; (comp.) maior; (sup.) maximus
maior (see magnus)
Maius-ī, m. May (the month)
maleficium-ī, n. evil deed, crime
malitia-ae, f. meanness
mālō, mālle, māluī, ——— , prefer
malus-a-um, bad
maneō-ēre, mānsī, mānsūrus, remain
manus-ūs, f. hand; band
Mārcus-ī, m. Mark
mare, maris, n. sea
marīnus-a-um, sea
Martīnus-ī, m. Antōnius Martīnus, or Tony Martini (a soldier in World War II)
māter-tris, f. mother; matron; married woman
mātrimōnium-ī, n. marriage; in mātrimōnium dūcere, marry
mātrōna-ae, f. wife; lady
mātūrē (adv.) early
mātūrō, 1, hasten
maximus (see magnus)
mē, me (acc. of ego)
Mēdēa-ae, f. Medea, a famous sorceress (wife of Jason)
medicīna-ae, f. medicine
medicus-ī, m. doctor
medius-a-um, middle of
mēhercule, so help me!
melior (comp. of bonus)
Melissa-ae, f. a girl's name
membrum-ī, n. limb (of the body)

mēns, mentis, f. mind
mēnsis-is, m. month
mentiō-ōnis, f. mention
mercātor-ōris, m. merchant
mercēnārius-a-um, hired, mercenary
Metabus-ī, m. a king of the Volscī (father of Camilla)
meus-a-um, my
microphōnium-ī, n. microphone
mīles-itis, m. soldier
mīlle, thousand; (pl.) mīlia, thousands; mīlle passūs, a mile; mīlia passuum, miles
minimus-a-um (see parvus)
minor, minus (see parvus)
mīrābilis-e, marvellous
mīrāculum-ī, n. miracle
mīror, 1, wonder, be amazed
mīrus-a-um, wonderful, marvellous
miser-era-erum, wretched, unhappy, poor
mittō-ere, mīsī, missus, send; hurl, shoot
modus-ī, m. way, manner; kind
moenia-ium, n. walls, fortifications
monachus-ī, m. monk
monastērium-ī, n. monastery
moneō-ēre, monuī, monitus, warn; advise
mōns, montis, m. mountain
mōnstrō, 1, show
mōnstrum-ī, n. monster
monumentum-ī, n. gravestone; (pl.) cemetery
mora-ae, f. delay
morior-ī, mortuus (moritūrus) die
moror, 1, delay, wait; hold up, hinder
mors, mortis, f. death
mortuus-a-um, dead
mōs, mōris, m. manner
mōtus-ūs, m. motion
moveō-ēre, mōvī, mōtus, move
mox (adv.) soon
mulier-ieris, f. woman
multitūdō-dinis, f. multitude, great number
multō (adv.) much
multus-a-um, much; (pl.) many; multā nocte, late at night; ad multam noctem, until late at night
mūniō-īre, mūnīvī, mūnītus, fortify; castellum mūnīre, build a fort
mūnus-eris, n. show, exhibition
murmurō, 1, mutter
Murrānus-ī, m. name of a Roman gladiator
mūrus-ī, m. wall
mūsica-ae, f. music
mūsicus-a-um, musical, of music
mūsicus-ī, m. musician

N

nam, for
nārrātiō-ōnis, f. account, story
nārrātor-ōris, m. commentator
nārrō, 1, tell
nascor-ī, nātus, be born; nātus-a-um (w. acc. of time) old
nātiō-ōnis, f. nation
nātus (see nascor)
nauta-ae, m. sailor
nauticus-a-um, naval
nāvālis-e, naval
nāvigō, 1, sail

nāvis, nāvis, f. ship; nāvem appellere, put in; nāvem solvere, set sail; nāvem subdūcere, beach a ship
-ne, sign of a question
nē, in order that . . . . not; lest; not to; (after verbs of fearing) that
necō, 1, kill
negō, 1, say . . . . not, deny
negōtium-ī, n. business
nēminem (acc. of nēmō)
nēmō, m. and f. no one, nobody
neque, nor; and . . . . not; neque . . . . neque, neither . . . . nor
nesciō-īre, -scīvī (-iī), ——, not know
niger-gra-grum, black, dark
nihil, nothing
nisi, unless; except
nōbilis-e, well known; noble; splendid
noceō-ēre, nocuī, nocitūrus (w. dat.) harm, injure
nōlō, nōlle, nōluī, ——, be unwilling; nōlī or nōlīte (w. inf.) do not
nōmen-inis, n. name
nōminō, 1, name, call
nōn, not; iam nōn, no longer
nōndum, not yet
nōnne (sign of a question expecting a 'yes' answer)
nōs, we, us (pl. of ego)
noster-tra-trum, our
nōtus-a-um, well known
novitās-ātis, f. novelty, newness, strangeness, rareness
novus-a-um, new
nox, noctis, f. night; multā nocte, late at night; ad multam noctem, until late at night
nūllus-a-um, no, not any
numerō, 1, count
numerus-ī, m. number
nummus-ī, m. coin
numquam (adv.) never
nunc (adv.) now
nūntiō, 1, announce, tell
nūntius-ī, m. messenger
nuptiālis-e, wedding
nympha-ae, f. nymph

O

Ō, O!, Oh!
ob (prep. w. acc.) on account of, because of
obscūrus-a-um, dark
obsideō-ēre, -sēdī, -sessus, besiege
obtineō-ēre, -tinuī, -tentus, have, hold, possess; obtain
occidō-ere, -cidī, ——, set (of the sun)
occīdō-ere, -cīdī, -cīsus, cut down, kill
occupō, 1, seize, occupy, enter
octō, eight
oculus-ī, m. eye
odor-ōris, m. odor
offerō, offerre, obtulī, oblātus, offer, present
Olympus-ī, m. Mount Olympus (home of the gods)
omnis-e, all
oppidum-ī, n. town
opprimō-ere, -pressī, -pressus, crush, overpower, overwhelm
oppugnō, 1, attack, besiege
optimus (see bonus)
opus-eris, n. work, effort
ōrātiō-ōnis, f. speech

paene (adv.) almost
pār, paris, equal
parātus-a-um, ready, prepared
parēns-entis, m. and f. parent
parō, 1, prepare
pars, partis, f. part
parvulus-a-um, little
parvus-a-um, small; (comp.) minor; (sup.) minimus
pāscō-ere, pāvī, pāstum, feed
passus-ūs, m. pace; mīlle passūs, a mile; mīlia passuum, miles
pāstor-ōris, m. shepherd
pater-tris, m. father; Patrēs (Cōnscrīptī), Senators
patria-ae, f. country, native land
patricius-ī, m. a patrician (one of the Roman nobility)
paucī-ae-a, few
paulō (adv.) a little
paulum (adv.) a little
pāx, pācis, f. peace
pecūnia-ae, f. money
pecus-oris, n. herd, cattle
pedes, peditis, m. footsoldier, infantryman; (pl.) infantry
Pedīculus-ī, m. Little Foot; Louse
Pedius-ī, m. Quīntus Pedius (a Roman soldier who was also known as Pedīculus)
pellō-ere, pepulī, pulsus, drive; rout; conquer
penetrō, 1, penetrate, pierce
per (prep. w. acc.) over; through; (in oaths) by
pereō-īre, -iī, -itūrus, perish
perfacile (adv.) very easily
perficiō-ere, -fēcī, -fectus, carry out, complete, do
perfidus-a-um, dishonest; treacherous
Periclēs-is, m. name of a famous Athenian
perīculum-ī, n. danger
perītus-a-um (w. gen.) skillful, expert
permagnus-a-um, very large
permittō-ere, -mīsī, -missus (w. dat.) permit, allow
permoveō-ēre, -mōvī, -mōtus, move deeply, affect, influence, stir up
perrumpō-ere, -rūpī, -ruptus, break through
persevērō, 1, persist
persuādeō-ēre, -suāsī, -suāsum (w. dat.), persuade
perterreō-ēre, -terruī, -territus, terrify
pertimēscō-ere, pertimuī, —— , fear greatly
perveniō-īre, -vēnī, -ventum, arrive, reach
pervincō-ere, -vīcī, -victus, conquer completely
pēs, pedis, m. foot
pessimus-a-um (sup. of malus) very evil, foul
petō-ere, petīvī, petītus, attack; seek; ask
piger-gra-grum, lazy
pila-ae, f. ball
pilārius-ī, m. juggler
pīlum-ī, n. javelin
pīrāta-ae, m. pirate
piscātor-ōris, m. fisherman
piscis-is, m. fish
piscor, 1, fish
plaustrum-ī, n. cart
plēnus-a-um, full
plūrimus-a-um (sup. of multus), very much, most; (pl.) very many; plūrimum
        posse, be very powerful
plūs (comp. of multus) more, more than
Plūtōn-ōnis, m. Pluto, king of the Lower World
poēta-ae, m. poet
Pollux-ūcis, m. name of a famous pugilist (brother of Castor)

Polyphēmus-ī, m. one of the Argonauts
pōnō-ere, posuī, positus, put, place; castra pōnere, pitch camp
pōns, pontis, m. bridge
populus-ī, m. people
porta-ae, f. gate, door
portō, 1, carry
possum, posse, potuī, ——, be able, can; plūrimum posse, be very powerful
post (prep. w. acc.) after
posteā (adv.) afterward
posterus-a-um, following, next
postquam, after
Postumius-ī, m. a Roman name
potēns-entis, powerful
potior, potīrī, potītus (w. abl.) take, obtain, get possession of
praebeō-ēre, praebuī, praebitus, offer, furnish
praecēdō-ere, -cessī, -cessūrus, precede, go before
praecipiō-ere, -cēpī, -ceptum (w. dat.) instruct, order
praecō-ōnis, m. announcer
Praecōnius-ī, m. Pūblius Praecōnius (a radio announcer)
praeda-ae, f. booty
praeficiō-ere, -fēcī, -fectus, put (acc.) in charge of (dat.)
praemittō-ere, -mīsī, -missus, send ahead
praemium-ī, n. reward
praesidium-ī, n. defense, protection, help
praestāns, -antis, outstanding, remarkable
praesum-esse, -fuī, -futūrus (w. dat.) be at the head of, be in charge of
pretium-ī, n. price
prīmō (adv.) at first
prīmus-a-um, first; prīmā lūce, at dawn
prīnceps-cipis, m. chief, leader, leading man
prō (prep. w. abl.) for, in defense of, in behalf of; in return for; before
prōcēdō-ere, -cessī, -cessum, go forward, proceed, advance, walk
procul (adv.) far off
proelium-ī, n. battle; proelium facere, fight a battle
prōferō-ferre, -tulī, -lātus, thrust out, push out
proficīscor-ī, profectus, set out, start, go, march
prōgredior-ī, -gressus, advance, go forward
prohibeō-ēre, -hibuī, -hibitus, keep (acc.) away from (abl.); prohibit
prōiciō-ere, -iēcī, -iectus, throw forward
prōnus-a-um, forward
prope (adv.) near; (comp.) propius; (sup.) proximē
properō, 1, hurry, hasten
propius (adv., comp. of prope) nearer
propter (prep. w. acc.) on account of, because of
Proserpina-ae, f. Proserpina (daughter of Ceres and Jupiter, patron goddess
    of Sicily)
prōspiciō-ere, -spexī, -spectus, gaze out at
prōsum, prōdesse, prōfuī, prōfutūrus (w. dat.) benefit
prōvehō-ere, -vexī, -vectus, carry forward
prōvincia-ae, f. province
proximus-a-um, next, following, near
Pūblius-ī, m. a Roman name
pudīcitia-ae, f. chastity, virtue
puella-ae, f. girl
puellula-ae, f. little girl
puer, puerī, m. boy
puerīlis-e, youthful
pugilor, 1, box
pugna-ae, f. battle
Pugnāx-ācis, m. name of a Roman gladiator
pugnō, 1, fight
pugnus-ī, m. fist
pulcher-chra-chrum, beautiful, handsome
pulsō, 1, strike, hit, punch

pūniō-īre, pūnīvī, pūnītus, punish
pūrgō, 1, cleanse, make clean
pūrus-a-um, pure, unspotted
putō, 1, think
Pyrrhus-ī, m. name of a Greek king (enemy of the Romans)
Pȳthius-ī, m. name of a Sicilian business man

Q

quā (adv.) where
quācumque (adv.) wherever
quadringentī-ae-a, four hundred
quaerō-ere, quaesīvī, quaesītus, search for, seek
quam, than; (w. sup.) as . . . . as possible
quantopere (adv.) how much, how greatly
quārtus-a-um, fourth
quattuor, four
-que, and
quī, quae, quod, (interrog. adj.) what? which? (rel. pron.) who, which, that
quīdam, quaedam, quoddam, certain, a certain one; a
quiēs, quiētis, f. rest; sleep
quiētus-a-um, quiet
quīn, but that, that, from
quīnque, five
Quīnta-ae, f. a Roman (woman's) name
Quīntus-ī, m. a Roman (man's) name
quis, quid (indef. pron.) anyone, anything; (interrog. pron.) who? what?
quisquam, quaequam, quicquam or quodquam, (indef. pron. and adj.) anyone,
    anything; any
quisque, quaeque, quidque or quodque, (indef. pron. and adj.) each (one),
    every (one)
quō (adv.) where, to what place, to which place; in order that
quod, because
quondam (adv.) once, formerly
quoque (adv.) also

R

recipiō-ere, -cēpī, -ceptus, take back, receive, recover; sē recipere, betake
    oneself, go back, withdraw, retreat
rēctor-ōris, m. driver
reddō-ere, -didī, -ditus, give back
redeō-īre, -iī, -itūrus, return
redigō-ere, -ēgī, -āctus, reduce
redūcō-ere, -dūxī, -ductus, lead back, take back
referō-ferre, rettulī, relātus, bring back; sē referre, return; grātiam referre,
    give thanks
reficiō-ere, -fēcī, -fectus, repair, rebuild, renew, refresh, revive
Rēgillus-ī, m. name of a small lake in Latium
rēgīna-ae, f. queen
regiō-ōnis, f. region
relinquō-ere, -līquī, -lictus, leave, leave behind, abandon
reliquum-ī, n. the rest, remainder; nihil reliquī, nothing left
reliquus-a-um, rest of, remaining; in reliquum tempus, in the future
remittō-ere, -mīsī, -missus, send back
removeō-ēre, -mōvī, -mōtus, remove
renovō, 1, renew; relight
renūntiō, 1, report
repellō-ere, -pulī, -pulsus, drive away, repulse
reperiō-īre, repperī, repertus, find
reportō, 1, bring back, carry back
rēs, reī, f. thing, matter, affair; quā rē, because of this, therefore; because
    of which, why
resistō-ere, restitī, —— , (w. dat.) resist

respiciō-ere, -spexī, -spectus, look back at
respondeō-ēre, respondī, respōnsus, reply
retineō-ēre, -tinuī, -tentus, restrain, hold back, hold fast, retain
revertor-ī, -versus, return
revocō, 1, recall; restore
rēx, rēgis, m. king
rīdeō-ēre, rīsī, rīsus, laugh
rīdiculus-a-um, funny, absurd
rīpa-ae, f. bank (of a stream)
rogō, 1, ask, beg
Rōma-ae, f. Rome
Rōmānī-ōrum, m. Romans
Rōmānus-a-um, Roman
rota-ae, f. wheel
rugiō-īre, —— , —— , roar
rūs, rūris, n. the country
Russicus-a-um, Russian
Rutulī-ōrum, m. the Rutulians (an ancient people in Italy)

S

Sabīnī-ōrum, m. the Sabines (an ancient Italian people)
Sabīnus-a-um, Sabine
sacer-cra-crum, sacred
saepe (adv.) often
saevē (adv.) ferociously
sagitta-ae, f. arrow
Salmōneus-ī, m. name of a Greek king
salūs-ūtis, f. safety
salūtō, 1, greet
salveō-ēre, —— , —— , be well, be in good health; salvēre iubēre, say
        goodbye to; Salvē and Salvēte (imperatives) How do you do!
salvus-a-um, safe, unharmed
Samius-ī, m. Sam
sanctus-a-um, Saint; holy
sanguis-inis, m. blood
sānitās-ātis, f. sound health
sānō, 1, cure, heal
satis, enough
saxum-ī, n. rock
scientia-ae, f. knowledge
sciō-īre, scīvī (-iī) scītus, know
Scīpiō-ōnis, m. name of a famous Roman commander
scrībō-ere, scrīpsī, scrīptus, write
scūtum-ī, n. shield
sē (see suī)
secundus-a-um, second
sed, but
sēdecim, sixteen
sedeō-ēre, sēdī, sessūrus, sit down
sedīle-is, n. chair
semper (adv.) always
senātor-ōris, m. senator
senex, senis, old
sentiō-īre, sēnsī, sēnsus, feel, perceive
sepeliō-īre, sepeliī, sepultus, bury
sepulchrum-ī, n. tomb
sepultūra-ae, f. burial
sequor-ī, secūtus, follow
serpēns-entis, m. and f. snake, serpent
servitūs-ūtis, f. slavery
servō, 1, keep, save, protect
servus-ī, m. slave
sex, six

sī, if
sibi (see suī)
sīc (adv.) thus, so
Sicilia-ae, f. Sicily
Siculī-ōrum, m. the Sicilians
sīgnum-ī, n. signal, sign; mark
silentium-ī, n. silence
silva-ae, f. forest
similis-e, like, similar
sine (prep. w. abl.) without
sinister-tra-trum, left
situs-a-um, situated
societās-ātis, f. association, company
socius-ī, m. associate, companion, ally, friend
soleō-ēre, solitus, be accustomed
solitus-a-um, usual, customary
sōlum (adv.) alone, only
sōlus-a-um, alone, only, sole
solvō-ere, solvī, solūtus, release, free; open; loosen; somnō solūtus,
        awakened; nāvem solvere, set sail
somnus-ī, m. sleep; somnō solūtus, awakened
sonitus-ūs, m. sound
sordidus-a-um, dirty
Spartacus-ī, m. name of a famous gladiator
spatium-ī, n. space of time, interval
spectāculum-ī, n. show, spectacle
spectātor-ōris, m. spectator
spectō, 1, look (at)
spērō, 1, hope
spēs, speī, f. hope
splendidus-a-um, bright, shining
statim (adv.) immediately, at once
statiō-ōnis, f. station
statua-ae, f. statue, image
stella-ae, f. star
stīpendium-ī, n. pay
stō, stāre, stetī, statūrus, stand
studium-ī, n. eagerness, zeal, desire
stupefaciō-ere, -fēcī, -factus, stun
stupidus-a-um, stupid, dull
sub (prep. w. abl.) under, at the foot of; (prep. w. acc.) to a position under,
        up to, to the foot of
subdūcō-ere, -dūxī, -ductus, lead up; nāvem subdūcere, beach a ship
subitō (adv.) suddenly
submarīnus-a-um, underwater; nāvis submarīna, a submarine
submergō-ere, -mersī, -mersus, submerge
suī, of himself (herself, itself, themselves); he, she, it; (dat.) sibi; (acc.
        and abl.) sē or sēsē
sum, esse, fuī, futūrus, be
summus-a-um, (see superus)
sūmptuōsē (adv.) sumptuously, expensively
super (prep. w. acc.) over, above
superbia-ae, f. arrogance, pride, haughtiness
superbus-a-um, arrogant, haughty
superō, 1, defeat, overcome; surpass
superus-a-um, above; (comp.) superior, higher, upper; (sup.) suprēmus,
        last, (and) summus, highest; very great; top of
surgō-ere, -rēxī, -rēctus, arise, get up
surrīdeō-ēre, -rīsī, —— , smile
sustineō-ēre, -tinuī, -tentus, hold up, sustain, withstand
suus-a-um, his (own), her (own), their (own)
Syrācūsae-ārum, f. Syracuse (a city in Sicily)
Syrācūsānus-a-um, Syracusan

taberna-ae, f. shop
taceō-ēre, tacuī, tacitum, be silent
Talus-ī, m. name of a bronze monster
tam (adv.) so
tamen (adv.) however, nevertheless
tandem (adv.) finally, at length
tantum, so much
tantus-a-um, so great, such
Tarentīnī-ōrum, m. the Tarentines (people of Tarentum)
Tarentīnus-a-um, Tarentine, of Tarentum
Tarentum-ī, n. name of a south Italian town
Tarpēia-ae, f. a Roman girl
Tatius-ī, m. a king of the Sabines
tē, you (acc. and abl. of tū)
telephōnō, 1, telephone
tēlum-ī, n. weapon
tempestās-ātis, f. storm
templum-ī, n. temple
temptō, 1, try
tempus-oris, n. time; in reliquum tempus, in the future
teneō-ēre, tenuī, ——— , hold
tener-era-erum, dainty, delicate, tender
ter (adv.) three times
tergum-ī, n. back; ā tergō, from behind, in the rear; terga vertere, flee
terra-ae, f. earth, soil; country, land
terreō-ēre, terruī, territus, frighten
terribilis-e, terrible, dreadful
Tiberis-is, m. the Tiber (a river in Italy)
tibi (dat. of tū)
timeō-ēre, timuī, ——— , fear
timor-ōris, m. fear
toga-ae, f. the toga (an outer garment worn by Roman citizens)
tollō-ere, sustulī, sublātus, lift; steal, take away
Tōnius-ī, m. a shortened form of Antōnius
torpēdō-inis, f. torpedo
tōtus-a-um, all, whole
trādō-ere, -didī, -ditus, hand over, surrender, betray
trādūcō-ere, -dūxī, -ductus, lead across, bring across, bring, carry
trahō-ere, trāxī, trāctus, drag, draw, pull
trāns (prep. w. acc.) across
trānseō-īre, -iī, -itūrus, go across, cross over
trānsfīgō-ere, -fīxī, -fīxus, pierce, transfix
trānsportō, 1, carry across, transport
trecentī-ae-a, three hundred
trēs, tria, three
triumphātor-ōris, m. triumpher, conqueror
triumphō, 1, celebrate a triumph
triumphus-ī, m. triumph, triumphal procession
Trōia-ae, f. Troy (a city in Asia Minor)
Trōiānī-ōrum, m. the Trojans (people of Troy)
Trōiānus-a-um, Trojan
tū, tuī, you
tum (adv.) then
Turnus-ī, m. a king of the Rutulī
turpiter (adv.) shamefully
tūtus-a-um, safe
tuus-a-um, your

U

ubi (adv.) where; (conj.) when
ūllus-a-um, any

ululō, 1, howl
umquam (adv.) ever
unde (adv.) from where
undique (adv.) from all sides
ūnus-a-um, one
urbs, urbis, f. city
ūsus-ūs, m. use, experience
ut, 1. (w. subjv.) that, in order that, so that; (w. verbs of fearing) that ---- not;
   2. (w. indic.) as
ūtor-ī, ūsus (w. abl.) use

V

vacō, 1, be empty
vadum-ī, n. shallow place, ford, shoal
Valē (see valeō)
Valentīna-ae, f. an Italian girl
valeō-ēre, valuī, valitum, be well, be in good health; Valē, Goodbye
Valerius-ī, m. a Roman name
validus-a-um, strong
vallis-is, f. valley; Clāra Vallis, Clairvaux (location of famous Cistercian
    monastery in France)
variē (adv.) in various styles
vās, vāsis, n. jar
vāstō, 1, devastate, ravage, destroy
vehementer (adv.) eagerly, violently
vehō-ere, vexī, vectus, carry; (pass.) ride
Vēientēs-ium, m. the Veientians (inhabitants of the Etruscan town of Vēiī)
Vēiī-ōrum, m. an Etruscan town in Italy
vel, or
vēlōx, vēlōcis, swift, quick
vēnālis-e, for sale
vendō-ere, vendidī, venditus, sell
venia-ae, f. forgiveness
veniō-īre, vēnī, ventum, come
ventus-ī, m. wind
verbum-ī, n. word
Vercingetorīx-īgis, m. a famous Gallic general
vereor-ērī, veritus, fear
Vergilius-ī, m. Virgil (a famous Roman poet)
versipellis-is, m. a werewolf (one who can change himself into a wolf)
vertō-ere, vertī, versus, turn; terga vertere, flee
Vestālis-e, Vestal; Virginēs Vestālēs, the Vestal Virgins
vester-tra-trum, your
vestīgium-ī, n. footprint, track
vestīmentum-ī, n. garment; (pl.) clothes
vestiō-īre, vestīvī, vestītus, dress, clothe
vestis-is, f. clothing, clothes; robe
Vesuvius-ī, m. a volcanic mountain in Italy
vetus, veteris, old, former, ancient
via-ae, f. street
victōria-ae, f. victory
vīcus-ī, m. village
videō-ēre, vīdī, vīsus, see; (pass.) seem, be seen
vigil, vigilis, m. fireman
vīgintī, twenty
vīlla-ae, f. farmhouse, country house, country estate, villa
vinciō-īre, vinxī, vinctus, bind
vincō-ere, vīcī, victus, conquer
vinculum-ī, n. bond, fetter, chain
vīnum-ī, n. wine
vir, virī, m. man, husband
virgō, virginis, f. virgin; young girl, maiden; Virginēs Vestālēs, the Vestal
    Virgins

virtūs-ūtis, f. bravery, courage
vīs, vīs, f. violence, force, power; (pl.) physical strength; vīs ēlectrica,
    electric current
vīta-ae, f. life
vīvō-ere, vīxī, ——— , live
vīvus-a-um, alive
vocō, 1, call
volō, velle, voluī, ——— , wish
Volscī-ōrum, m. the Volscians (a people of ancient Italy)
vōs, you (pl. of tū)
vōx, vōcis, f. voice
vulnerō, 1, wound
vulnus-eris, n. wound